라파공동체 이야기

중독과 치유

지은이	윤성모
초판발행	2011년 2월 10일
초판2쇄	2011년 2월 18일
초판3쇄	2022년 10월 20일

펴낸이	배용하
책임편집	배용하
등록	제364-2008-000013호
펴낸곳	도서출판 대장간
	www.daejanggan.org
등록한곳	충청남도 논산시 가야곡면 매죽헌로1176번길 8-54
대표전화	(041) 742-1424 전송 (0303) 0959-1424

분류	기독교	신앙	치유
ISBN	978-89-7071-200-0 03230

라·파·공·동·체·이·야·기

중독과 치유

윤성모

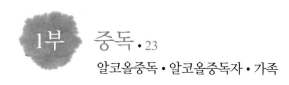

1부 중독 • 23
알코올중독 • 알코올중독자 • 가족

 2부 **치유** • 89
치유 • 회복 • 변화

모든 병든 것과 약한 것 / 네가 아니라 내가 변하는 것 / 가면 쓰기 그리고 벗기 / 가
장 좋은 치료방법 / 굴욕이 겸손이다 / 맨틀 밑을 흐르는 마그마 / 단주는 철학이다
/ 돈, 단주의 장애물 / 무엇이 치료인가? / 무의식의 치유 / 인생은 잔치다 / 카르페
디움 / 봉사, 놀라운 치유의 능력 / 친밀감에 대한 갈망 / 살려는 의지 / 성인 아이
/ 수다 떠는 남자들 / 시월의 승리자 / 놀이치료 / R리그의 심리학(1,2) / 연약함
이 겸손이다 / 영성이란 무엇인가? – 어버이날에 부쳐 / 영혼에 뿌려진 제초제 / 일
출 감상 / 자기 사랑 자기 부인 / 투사, 그 가공할 파괴력 / 차라리 유치하게 삽시다
/ 치료에 성공하는 사람들의 7가지 특징 / 코페르니쿠스적 전환 / 태풍 맞은 라파 /
어리숙한 문열이의 단주 / 굶어죽지는 않는다. 그러나 술 마시다 죽을 수는 있다 /
자발성이 열쇠다 / 전문가에게 맡깁니다 / 단주가 제일 쉬웠어요 / 씨앗에는 문제
가 없다 / '누구나'와 '아무나' / '다르다'와 '틀리다' / '만약에'와 '때문에' / 벌너러
빌러티 / 축복, 양도할 수 없는 권리 / 아버지로 죽고 싶습니다 / 죽어야 낫는 병

이 책은 희망입니다

- 책의 주인공과 가족들이 적는 추천의 글_가명

하나님의 사랑 가운데 변화 받는 치료의 장소!

무섭고 험한 중독의 해독제와 백신이 있는 곳!

죽은 생명을 새 생명으로 소생시키는 곳!

그곳, 라파 동산의 이야기가 책으로 출간되어 얼마나 기쁜지 모릅니다. 이 곳에서 죽었다가 다시 살아난 저로서는 벅찬 감동이 출렁입니다. 기쁨과 고통을 함께 나눴던 삶들이기에 한 구절 한 구절이 살아 있는 생명의 말씀입니다. 주옥같은 사랑과 치유의 글들이 세상에 크게 알려져서 중독의 올무에 고통받는 대한민국 모든 중독자에게 생명의 통로가 되기를 기도합니다.

사람은 사랑과 추억을 먹고 산다고 했습니다. 라파공동체에서 참 많이도 사랑받았습니다. 웃고 울고 쉬고 깎이고 배우고 다듬었습니다. 그 사랑과 추억만으로도 삶이 풍성합니다. 그 복을 이 책을 함께 하는 모든 분과 나누고 싶습니다. 부디 이 책이 중독의 필독서가 되어서 빛과 소금이 되길 다시 한 번 기도합니다.

_ 김경희·회복 중인 도박중독자, 48세

중독의 폭풍우 속에서 부서지고 헤매던 난파선 같던 나에게 목사님은 한 줄기 등대 불빛이고, 절묘한 나침반이 되어 주셨다. 안전한 귀항으로 이끌 뿐만 아니라, 신세계로의 멋진 항해까지 꿈꿀 수 있도록 그의 말과 글, 행동은 오늘도 빛을 발한다.

_ 임상훈·회복 중인 알코올중독자, 53세

저는 윤성모 목사님을 만나 알코올중독 치유프로그램을 통해서 중독의 근본 원인을 찾아 회복 중인 알코올중독자의 아내입니다. 남편의 알코올중독으로 늘 불안한 삶을 살아온 저는 중독을 죽어야 낫는 병이라고 생각했습니다. 알코올중독으로 황폐하게 살아온 남편과 저는 중독 치료과정에서 하나님을 만나 도저히 해결할 수 없었던 지독한 중독에서 벗어나 참된 삶을 찾았고 자유를 누리고 있습니다. 알코올중독이 얼마나 무서운 병인지를, 중독 때문에 가족들이 얼마나 큰 고통을 겪어야 하는지를, 중독자 가족들의 아픔을 현실 그대로 윤성모 목사님께서 이 책에 담아 내셨습니다. 중독을 몰라서, 혹 알더라도 방법을 몰라 원망과 분노로, 중독 치료를 포기한 많은 분이 이 책을 통해 파괴된 가족관계를 회복하기를 간절히 바랍니다. 이 책은 알코올중독과 치유에 관한 백과사전과 같습니다. 힘들 때마다, 어려울 때마다 손에 들고 읽다 보면 그 답을 얻을 수 있는 백과사전 말입니다. 저에게도 큰 힘이 될 것입니다.

_ 김인자·회복 중인 알코올중독자의 아내, 51세

이 땅의 많은 알코올중독자에게 이 책을 권하고 싶습니다. 알코올중독이라는 병은 나 자신뿐만 아니라 가족과 이웃, 사회를 병들게 하고 결국은 파멸에 이르게 하는 병입니다. 당신이 알코올중독자라면 망설이지 말고 전문 상담가와 상담을 시작하십시오. 영적 치료와 회복의 길을 선택하셔서 새로운 삶을 살아가기를 기도합니다.

_ 정민태·회복 중인 알코올중독자, 46세

이 세상에서 가장 소중하고 의미를 부여할 수 있는 단어는 가족일 것입니다. 그렇게 친밀하고 소중하기에 가족 일원의 어려움은 가족 전체의 고통이 됩니다. 특히 중독자가 있는 역기능 가정의 고통이란 겪어보지 못한 사람은 모를 정도로 상상을 초월합니다. 이 책은 중독의 원인, 증상, 치료에 이르기까지의 과정을 공동체 생활을 통해 얻은 생생한 간증과 증언으로서, 절망의 늪에서 죽어가는 중독자와 가족들에게 절대 희망을 품게 하는 충분하고 강력한 에너지가 될 것입니다. 윤성모 목사님의 성품 속에 흐르는 하나님의 사랑과 중독자들의 영혼을 사랑하는 따뜻한 카리스마가 순수하고 진솔하게 펼쳐짐과 동시에 "중독은 치료될 수 있다!"라는 강력한 메시지가 전달되고 있습니다. 이 책은 해체되어 가는 수많은 중독자 가족에게 새 힘이 되는 최고의 선물이 될 것입니다. 이 책을 만나 치료의 결단을 하는 복 있는 자가 되기를 기원합니다.

_ 구영숙·회복 중인 알코올중독자의 아내, 48세

이 책은 *이 땅의 350만 알코올중독자를 위한 책*이지만 나와 우리 가족이 겪었던 내 이야기임도 고백한다. 하나님은 라파공동체를 통해 당신의 사랑을 알게 하시고 예수 그리스도 사랑 안에서 섬기는 종으로 중독자를 치유하시는 전지전능한 분이시다. 그럼에도, 단 한 가지 전제해야 할 분명한 점은 진정 중독으로부터 치유함을 원한다면 "내가 중독자라는 사실"을 먼저 시인해야 한다는 것이다.

_ 임연주·회복 중인 알코올중독자, 45세

나는 라파공동체와 윤성모 목사님을 통해 인생의 참(眞)을 찾았습니다. 인생의 진정한 희로애락을 찾았습니다. 이 책을 통해 *중독 치유와 회복의 현장에서 들려오는 애환과 환희의 소리*를 듣고 느껴보십시오. 이 책을 통해 무엇이 중독의 속성인지, 진정한 치유와 회복이 무엇인지 느껴 보십시오. 오늘을 사는 우리는 모두 중독에 쉽게 노출되어 있습니다. 그러므로 중독에 대해 나 몰라라 할 사람은 아무도 없습니다.

_ 조성환·회복 중인 알코올중독자, 61세

아는 형제로부터 라파공동체를 소개받고 목사님께서 저술하신 『사랑이 희망이다』(생명의 말씀사)라는 책을 받았을 때 눈물, 콧물 흘리며 밤을 새워 읽었던 기억이 있습니다. 그때만 해도 '이런 단주의 성공이야기가 나의 것이 될 수 있을까?'라고 생각하며 부러웠습니다. 그러나 라파공동체를 통해 남편이 단주에 성공하여 1년이 지난 지금 이 책을 읽으면서는 감사의 눈물을 흘렸습니다. 예전에는 남편의 마음 밑바닥에 조절할 수 있다는 생각이 있어서 성공과 실패를 오갔지만, 지금은 한 방울의 술도 안 된다는 것을 남편 스스로 알고 있기에 지금까지 이룬 것을 계속 지켜내리라 믿고 있습니다. 그런 믿음으로 말미암아 제 마음도 불안과 절망의 마음에서 벗어나서 안정을 찾고 있음을 감사드립니다. 저도 새로 이전하는 수도치유공동체에서 함께 할 수 있는 날을 소망해 봅니다. 라파공동체를 알게 해 준 형제님과 목사님 그리고 이 모든 것을 아름답게 이루어 가시는 하나님께 찬양과 감사를 드립니다.

_ 한수정·회복 중인 알코올중독자의 아내, 47세

"누구든지 목마르거든 내게로 와서 마셔라 영원히 목마르지 않을 것이다"라는 성경 말씀이 생각납니다. 중독자의 아내로서 너무나 목말랐는데 이 책은 바로 저에게 생수 그 자체였습니다. 저희 남편도 라파공동체에서 자기 이해와 통찰을 통해 거듭나기를 기도합니다. 사명자로 부르신 주님과 그 분의 뜻을 따라 그 사명을 감당하는 목사님과 사모님이 어찌 그리 아름다운지요. 이 원고를 다 읽고 난 후 제 두 눈에는 감사와 감격의 눈물이 흐르고 있었습니다.

_ 정가희·도박중독자의 아내, 47세

중독은 매우 이해하기 어려운 병입니다. 중독자와 그 가족들을 돕고 싶어도 중독이라는 병의 특징을 잘 알지 못하고 다가갔을 때 나의 선한 동기가 오히려 중독을 더 악화시키고 결국은 쓰라린 좌절감과 배신감만 안고 그들을 비난하며 돌아서기가 십상입니다. 중독에 대한 이해와 치유가 짧은 한국 사회에서 남편은 개척정신과 사명감으로 중독자 치유공동체를 일구어 왔습니다. 이 책에는 그들과 함께 울고 웃으며 체험한 치유와 회복의 여정이 고스란히 기록되어 있습니다. 중독치유 현장에서 생생하게 길어 올린 중독의 심리, 중독의 원인, 중독의 무서움 그리고 중독으로부터의 회복 이야기가 우리 정서와 우리 언어로 기록되어 있어서 누구나 쉽게 이해하고 공감하며 관심을 둘 수 있게 썼다는 점에서 특별히 소중한 책이라고 하겠습니다. 이 책을 통해 중독의 굴레에서 벗어나기 원하는 중독자와 그 가족들은 물론 그들에게 전문적인 도움을 주기 원하는 중독치유 일꾼들에게 희망과 용기 또 중독에 대한 바른 이해가 전해지기를 소원합니다.

_조현경·사모, 51세

알코올중독은 치료될 수 있는 병입니다

　세상에는 수많은 병이 있지만 알코올중독만큼 이해하기 어려운 병도 없는 것 같습니다. 병을 병으로 인식해야 치료가 가능할텐데 대부분의 알코올중독자들이나 가족들은 알코올중독을 병으로 인식하지 않습니다. 병으로 인식하기는커녕 오히려 자기는 절대 문제가 없다고 '부인'의 방어기제를 사용하거나 자기의 음주를 변명하거나 합리화 하고, 나아가서는 음주사실을 은폐하기 위해 거짓말도 상습적으로 사용하게 됩니다. 이러한 특성은 알코올중독자 자신에게서 뿐만 아니라 가족들에게서도 동일하게 나타납니다. 가족들도 남편 혹은 아빠의 술 문제를 부인하거나 은폐하기에 급급하고, 마실 수밖에 없는 상황이었을 거라고 합리화 하기 일쑤인 것이지요. 우리나라에는 약 350만명의 알코올중독자가 있습니다. 그 중 당장 치료가 필요한 중증의 알코올중독자들도 상당수 될 것으로 추정됩니다. 그러나 이들 중 실제 치료에 임하는 사람들은 얼마 되지 않습니다. 왜냐하면 알코올중독을 '치료받아야 하는 병'으로 인식하지 않기 때문입니다. 알코올중독이라는 병을 앓고 있는 극소수의 사람들만이 치료에 임하고 있는 실정입니다.

　알코올중독 뿐만 아니라 모든 중독이 그러하지만 중독 여부를 진단하는 가장 확실한 기준 중의 하나는 '조절여부'입니다. 어떤 사람이 술을 조절해서 마실 수 있다면 그 사람은 알코올중독자가 아닙니다. 그러나 그가 조절해서 마실 수 없다면 그는 중독자라고 말할 수 있습니다. 조절해서 마실 수 없기 때문에 그 사람은 끝내 사고를 치거나 삶의 문제를 야기하게 됩니다. 가정에 불화가 생기고, 직장에서도 문제가 발생하기 시작합니다. 그럼으로써 그와 그 가족의 인생 전체가 파탄에 이르게 됩니다.

많은 알코올중독자들이 알코올중독이 병이라는 사실을 부인하고 있지만 술 때문에 인생에 문제가 되고 있다는 사실은 인지하고 있는 경우가 많습니다. 그래서 나름대로는 술을 조절해서 마시려고 노력하게 되지만 알코올중독자들은 번번이 실패하게 됩니다. 그럼에도 불구하고 알코올중독자들은 조절해서 마시려는 노력을 포기하지 않습니다. 사람들은 옆에서 이렇게 말합니다. "네 의지가 문제야. 더 열심히 노력해 봐. 그러면 너는 술을 조절할 수 있을거야." 그러나 알코올중독자가 아무리 노력하여도 술을 조절해서 마시지는 못합니다. 왜냐하면 그는 조절해서 마실 수 있는 조절력을 상실하였기 때문이고, 의학적 견지에서도 이 조절력은 다시 회복되지 않기 때문입니다. 그렇기 때문에 알코올중독자들이 온전한 삶을 살고 싶다면 조절해서 마시려는 '망상'을 중단하고 당장 술을 끊어야 합니다. '절주'가 아니라 '단주'를 선택해야 합니다. 조절해서 마실 수 없기 때문에 단주해야 합니다.

술을 끊지 못해 고통 속에 있는 알코올중독자들에게 술을 끊는 것이 어떻겠느냐고 권유해보면 그들은 한결같이 이렇게 말합니다. "술 못 끊어요. 죽어야 낫는 병이에요." 알코올중독에서 벗어나는 것이 얼마나 힘든 일인지를 이 표현을 통해 알 수 있습니다. 그러나 이 진술은 앞과 뒤 모두 틀린 진술입니다. 술은 반드시 끊을 수 있고, 죽기 전에 알코올 중독은 고칠 수 있습니다. 중요한 것은 그가 진정 술을 끊고자 하는 의지가 있는가, 치료받아야 할 병임을 인식하고 치료 환경에 응하려 하는가 하는 점입니다. 예수님께서도 수많은 병자들을 고쳐주시면서 이렇게 물으셨습니다. "내가 네게 무엇을 하여주기를 원하느냐?" 그렇습니다. 중독 치료의 첫걸음은 내 병을 고치고자 하는 열망에서 비롯됩니다. 그 열망을 가지고 치료 환경에 응하고 주님 앞으로 나아오는 중독자들은 성경에 나타난 기적처럼 다 치료되고 회복될 수 있습니다.

알코올중독자들에게 술을 끊는 게 어떻겠느냐는 제안을 넌지시 해보십시오. 십중팔구 "그러면 무슨 낙(樂)으로 살지요?"라는 반문을 듣게 될 것입니다. 이 말을 역으로 해석하면 알코올중독자들은 술을 마심으로써 삶의 낙을 추구하고 있다는 것을 알 수 있습니다. 그러므로 중독의 치료란 술을 제외하고 인생의 진정한 낙을 찾는 것이라 말할 수 있습니다. 그 낙의 중심은 말할 것도 없이 가정과 신앙입니다. 가정 안에서 기쁨과 낙을 느끼고, 하나님 안에서, 교회 안에서 낙을 느끼는 삶으로의 전환이 일어날 때 중독으로부터의 회복은 시작되고 완성될 수 있습니다. 인생의 진정한 낙, 진정한 행복을 어디에서 찾을 수 있습니까? 바로 가정 안에서, 그리스도 안에서가 아닙니까? 이러한 전환을 일으켜 주는 것! 그것이 바로 치료입니다. 중독자의 삶의 양식이 건전한 삶의 양식으로 전환되어야 하는 것입니다. 이것은 하루 아침에 이루어지지 않습니다. 피나는 노력과 훈련을 통해 이루어집니다. 무엇보다도 주님 앞에 자기 자신을 다 내려놓고 그분만을 의지하며 나아가는 삶이 실제 삶을 통해 체현될 때 그 전환의 결실은 나타나기 시작합니다. 이러한 회복의 전환은 결코 혼자 이룰 수가 없습니다. 어떤 사람이 암에 걸렸을 때 그 사람에게 다가가 혼자서 그 병을 치료하라고 말하는 사람은 없습니다. 모든 사람들이 좋은 의사에게 가서 치료받고 수술 받으라 권유합니다. 알코올중독도 이와 마찬가지입니다. 그것이 인생 전체를 황폐하게 만드는 치명적인 병이기 때문에 좋은 전문가를 찾아가 그 병을 고치라고 말해주어야 합니다. 알코올중독은 일종의 정신병이며 인격병입니다. 특히 인격의 황폐화를 동반하는 아주 고약한 질병입니다. 이 병을 고치기 위해 전문가가 절대적으로 필요한 이유입니다.

물론 이 병을 고치기 위해 예수님 한 분이면 족합니다. 예수님의 손길이 닿으면 누구나 다 치료될 수 있습니다. 그러려면 환자가 예수님 앞으로 나아가거나 아니면 예수님을 자기 인생의 중심에 모셔 들여야 합니다. 그러나 알코올중독은 이러한 영적 접근을 몹시 어렵게 하는 병입니다. 죄책감, 수치심, 외로움, 분노, 원망, 두려움 등은 중독자들에게 깊이 내면화된 부정적 감정입니다. 이 부정적 감정은 그들이 대체로 낮은 자존감, 자아상을 가지고 있음을 반영합니다. 낮은 자아상은 그들이 성장 과정에서 받은 심리정서적 학대나 유기의 경험에서 생겨난 것입니다. 즉 그들이 성장과정에서 겪은 '애정이 결핍된 부모와의 관계 경험'이 낮은 자아상을 갖게 만든 원인이 되었다는 것입니다. 부모와의 부정적 관계경험은 하나님과의 관계 경험에도 강력하게 반영되는 경우가 많이 있습니다. 하나님이 무서운 하나님, 처벌하시는 하나님으로 투사

되는 것이지요. 그래서 중독자들이 두려움 없는 자유한 심령으로 하나님 앞에 나아가는 것이 결코 쉽지 않습니다. 그래서 이 부정적 자아상을 긍정적인 자아상으로 전환하는 과정이 병행되어야 온전한 믿음도 자리잡게 됩니다. 알코올중독은 육체의 병이자 마음의 병이며, 영혼의 병입니다. 따라서 이 세 방면의 치료가 동시에 병행되어야 온전한 회복에 도달할 수 있습니다.

C.S. 루이스는 "고통은 하나님의 확성기"라고 말했습니다. 고통 가운데 있을 때 하나님의 말씀이 들려오기 시작한다는 뜻이지요. 중독 치료에서도 이 경구는 적용될 필요가 있습니다. 소위 '바닥을 치는 경험'으로부터 치료는 시작됩니다. 중독 치료에서 가족들의 역할은 몹시 중요합니다. 가족들은 알코올중독자들에 대해 '냉정한 사랑'(Tough Love)을 실천해야 합니다. 술로 인해 생긴 문제들의 대가를 스스로 치르게 놔두어야 합니다. 사랑이라는 이름으로 대신 해결해 주지 말아야 합니다. 중독 치료에서 무엇보다도 중요한 것은 당사자 자신이 자발적으로 치료에 임하는 것이기 때문입니다. 가족들이 할 수 있는 최상의 길은 당사자를 치료 환경에 임하게 하는 것입니다. 전문가 앞으로 인도하는 것입니다. 가족들은 가족들 스스로 노력해서 이 병을 고칠 수 있다는 생각을 내려놓아야 합니다. 가족들이 아무리 노력한다고 해도 암 환자를 치료할 수는 없습니다. 가족들은 가능한 한 자기의 삶에 충실하려고 노력해야 합니다. 중독자에게 휘둘리지 않아야 합니다. 그것이 중독자들을 도와주는 가장 좋은 길임을 알아야 합니다. 중독자가 있는 가정에서 가족들이 겪는 흔한 고통 중의 하나는 중독자의 상태, 특히 감정

상태에 의존되어 있는 것입니다. 중독자가 기쁘면 가족들도 기쁘고 중독자가 우울하면 가족들도 우울해 집니다. 가족들은 중독자 눈치 보기에 급급한 삶을 살아갑니다. 그러다 보니 가족들도 우울에 빠지게 됩니다. 사는 것이 사는 것 같지 않고 마음껏 자기 인생을 살지 못합니다. 가족들은 바로 이와 같은 '동반중독'의 늪에 빠지지 않아야 합니다. 믿음이 있는 가족들이 특히 경계해야 하는 것은 믿음을 맹신하지 않아야 하는 것입니다. 계속해서 말씀드리지만 암 환자가 있을 때 우리는 하나님께 기도하면서 그를 병원과 의사 앞으로 데려갑니다. 알코올중독의 치료도 이와 같습니다. 한편으로는 기도하면서 한편으로는 그를 전문가에게 데려가야 합니다. 그럴 때 진정한 치료가 이루어지는 것입니다. 그리고 무엇보다도 포기하지 마십시오. 주님께서 당신의 기도를 듣고 계십니다.

우리가 선을 행하되 낙심하지 말지니 피곤하지 아니하면 때가 이르매 거두리라 갈6:9

라파공동체 윤성모 목사

1부
중독

알코올중독 · 알코올중독자 · 가족

Rapha
Community

절주는 불가능하다. 그러나 단주는 가능하다

지난 주 알코올중독 교육 시간에 C형제님이 교육을 마치며 소감을 나눌 때 하신 말씀입니다.

"저는 지금까지 단주(斷酒 : 술을 완전히 끊는 것)는 불가능하다고 생각해 왔습니다. 그러나 오늘에서야 불가능한 것은 단주가 아니라 절주(節酒 : 술을 절제하며 마시는 것)라는 사실을 깨닫게 되었습니다. 알코올중독자들에게 절주는 불가능합니다. 그러나 단주는 가능합니다."

이 위대한 통찰에 박수를 보냅니다.

"그런즉 누구든지 그리스도 안에 있으면 새로운 피조물이라. 이전 것은 지나갔으니 보라 새 것이 되었도다"(고후5:17)는 하나님의 말씀이 형제님의 마음속으로 들어갔습니다. 그리고 그에게 통찰이 생겼습니다. 그리스도 안에서 새로운 사람이 된다면 단주는 가능할 것이라는 확신이 들었던 것입니다. 영원한 단주를 위해 믿음이 필요하고, 신앙이 필요하고, 말씀이 필요하고, 하나님이 필요한 이유가 여기에 있습니다. 나는 단주할 수 없지만 하나님은 나를 단주케 해주실 수 있습니다. 알코올중독자들에게 절주는 불가능합니다. 그러나 단주는 가능합니다.

조난당한 바다에서 바닷물을 마시는 사람

어제 코이노니아 교제 모임 중에 한 형제님이 알코올중독자의 처지에 대해서 이렇게 말하였습니다.

"알코올중독자란 배가 난파되어 바다에 뛰어든 사람이나 마찬가지예요. 널빤지 하나 달랑 잡고 겨우 목숨이나 구명하고 있는데 구조선은

안 오죠. 햇빛은 내리 쬐죠. 목은 마르죠. 물은 지천으로 있는데 그러나 마실 물은 없죠. 할 수 없이 안되는 줄 알면서도, 죽을 줄 알면서도 갈증을 참지 못해 바닷물을 퍼마시고 있는 사람인 거죠.”

알코올중독자에 대해 이보다 더 사실적인 묘사가 있을까 싶습니다. 인생의 배가 난파되고 그는 한 조각 널빤지에 의지해 망망대해를 헤엄치고 있습니다. 누군가가 그를 구조해 주기를 갈망하고 있지만 구조의 손길이 언제, 어디서 나타날는지 그는 알 수 없습니다. 구조될 수 없다는 두려움이 온몸을 감쌉니다. 망망한 대해가 그 두려움을 더해줍니다. 죽음에 대한 공포가 시시각각 더해집니다. 그러나 무엇보다도 고통스러운 것은 목마름입니다. 물은 지천에 널려 있는데 그 물은 마실 수 없는 물입니다. 의식이 아직 남아 있는 동안 어떻게든 바닷물을 마시지 않으려고 안간힘을 씁니다. 그러나 더는 참을 수 없게 될 때 한 모금 두 모금 바닷물에 입을 대고 갈증을 적시기 시작합니다. 그렇게 한 모금 두 모금 마시기 시작한 바닷물이 목을 타들어 가게 합니다. 바닷물은 일시적으로 갈증을 해소해 주었지만 더 큰 갈증을 불러옵니다. 결국, 목이 타들어 가는 갈증이 그를 죽음으로 이끕니다. 누군가가 그를 구조해 주지 않는 한 그 스스로 그 망망대해에서, 그 타들어 가는 갈증 속에서 살아남을 수는 없습니다. 동서남북 어디에도 구조의 손길은 보이지 않습니다. 그때 눈을 들어 하늘을 봅니다. 그리고 하늘에서 내려오는 구조의 손길을 잡습니다. 하나님이 거기에 계십니다.

지난날 우리는 마시고 싶을 때는 언제나 마셨습니다. 술은 지천으로 널려 있었습니다. 그러나 지천으로 널려 있는 저 술은 우리를 살리는 물이 아니라 죽이는 물이었습니다. 라파공동체를 방주 삼아 이제 우리는 술의 홍수를 피하게 되었습니다.

이제 때가 되면 우리는 마른 땅 위를 걷게 될 것입니다.

인간이 어떻게 그럴 수가?

며칠 전 동기 목사님에게서 들은 말입니다. 자신의 교회에 중독자가 한 명 있는데 도저히 그의 행동이 이해가 되지 않는다는 것입니다. 그러면서 하는 말이 바로 "아니, 인간이 어떻게 그럴 수가 있는 겁니까? 해도 해도 너무 하지 않습니까?"였습니다.

비단 그 목사님뿐만 아니라 알코올중독이나 도박중독 등 중독의 폐해를 겪어 본 사람들은 중독자들에 대해 이구동성으로 이렇게 말합니다. 어떻게 인간이 그럴 수가 있냐고요.

어떻게 인간이 그럴 수가 있느냐는 질문에는 인간이라면 그럴 수 없는 것 아니냐, 인간이라면 그렇게 해서는 안되는 것 아니냐는 관점이 전제되어 있습니다. 그러므로 이 관점에 의하면 중독자들은 인간이 아니거나 인간 이하라는 말이 됩니다. 인간 같지도 않은 존재라는 말입니다. 그러나 실상은 무엇입니까? 그들은 '존중 받아야 할 인간'이라는 것입니다.

어떻게 인간이 그럴 수 있느냐는 질문의 배후에는 그들의 사고방식이나 행동이 전혀 상식적이지 않다는 관점이 깔려 있습니다. 이 말은 사실입니까? 사실입니다. 알코올중독자들의 사고방식이나 행동은 상식적이지 않습니다. 상식적이지 않기 때문에 이해가 되지 않는 것입니다.

어떤 사람의 말이나 사고방식, 행동이 상식적이지 않다면 그것은 그가 정신병을 앓고 있다는 것을 말해줍니다. 자신들의 음주가 자신이나 주변 사람들에게 고통과 피해를 명백히 주고 있음에도 불구하고 이를 부인하고 음주를 계속하는 알코올중독자들의 비상식적인 사고나 행위는 그들 역시 정신병을 앓고 있다는 것을 말해 줍니다. 우울증이 정신병인 것처럼 알코올중독 역시 정신병입니다.

알코올중독자들은 우리와 같은 성정을 가지고 있는 인간입니다. 그들은 인간 말종도 아니고 특별히 열등하거나 문제가 많은 인종인 것도 아닙니다. 그들은 여느 사람과 다름없는 보통의 인간이되 다만, 정신병을 앓고 있는 것일 뿐입니다. 알코올중독이라는 정신병을 앓고 있는 환자라는 말씀입니다.

어떻게 인간이 그럴 수 있느냐고 자꾸 그들을 탓하지 마십시오. 그들은 지금 알코올중독이라는 정신장애를 가지고 있기 때문에 그렇게 행동할 수밖에 없다는 것을 이해해 주십시오. 그들을 윤리적, 도덕적으로 너무 비난하지 말아 주십시오. 그들은 긍휼히 여김 받아야 할 병자임을 잊지 마십시오. 알코올중독이라는 병은 미워하되 병자들을 미워하지는 마십시오.

천형

인간의 힘으로는 고칠 수 없는 병을 '천형'이라고 부릅니다. 의학과 의술이 발달하면서 천형이라고 불릴 만한 병들이 많이 사라졌습니다. 에이즈라든가 조류 독감과 같은 신종 천형들이 새로이 나타나고 있기는 하지만 말입니다.

알코올중독도 현대판 천형의 하나가 아닐까요? 이삼십 년 전만 해도 알코올중독 문제가 이렇게 심하지는 않았습니다. 지난날 정신병동에서 알코올중독자들이 차지하는 비중도 10%를 넘지는 않았습니다. 그러나 오늘날 정신병동의 50% 이상의 환자가 알코올중독 환자입니다. 산업화의 발달과 동시에 알코올중독도 급성장하고 있습니다. 공동체성이 파괴되고 물질만능주의가 만연하며, 무한 경쟁이 펼쳐지는 삶의 환경이 중독을 양산하는 배경이 되고 있습니다.

"술 못 끊어. 죽어야 끊는 병이야."

알코올중독자들 자신이나 그를 지켜보고 있는 가족들 가운데 이런 생각을 가지고 있는 사람들이 많이 있습니다. 그만큼 알코올중독에서 벗어나는 일은 불가능에 가깝습니다. 실제로 주변에서 중독에서 벗어난 사람을 찾기가 쉽지 않습니다.

천형으로 고생하는 사람들의 이야기가 성경에는 많이 나옵니다. 자기 몸을 자해하며 무덤에서 살았던 거라사 지방의 귀신들린 사람, 열두 해 동안 혈루병을 앓고 모든 것을 다 잃은 여인, 38년 동안 고질병을 앓고 있던 실로암 못가의 병자, 문둥병자들, 이들 모두는 인간의 힘으로 고칠 수 없는 천형을 앓고 있던 사람들이었습니다. 인간의 힘으로 고칠 수 없기에 그들은 하나님을 바라보았습니다. 그리고 사람으로 이 땅에 오신, 하나님이신 예수님을 만나 고침을 받습니다.

"하늘에는 영광, 땅에는 평화"

　성탄 전야의 밤이 고요히 깊어가고 있습니다. 지금 이 시간 누가 아기 예수님의 탄생을 간절히 기다리고 있을까요? 병원 중환자실에서 생사의 기로를 헤매고 있는 사람들, 의사로부터 이제 얼마 남지 않았다고 사형 선고를 받은 사람들, 천형을 앓고 있는 환자들, 그들이 아닐까요?

　그들의 간절한 기도가 하늘로 날마다 올라가고 있습니다.
　사랑이신 하나님께서 그 고통의 소리를 날마다 들으십니다.
　그리고 마침내 결심하십니다.
　내가 가서 저들의 고통을 덜어 주리라. 저들을 치유하여 주리라.
　예수님은 그렇게 해서 이 땅에 오셨습니다.
　오실 수밖에 없었습니다.
　왜냐하면 그 분은 사랑이셨기 때문입니다.

이스라엘 자손은 고된 노동으로 말미암아 탄식하며 부르짖으니 그 고된 노동으로 말미암아 부르짖는 소리가 하나님께 상달된지라. 하나님이 그들의 고통 소리를 들으시고 출2:23,4

　우리의 고통 소리를 들으시고 친히 이 땅에 오신 예수님,
　고맙고 감사합니다.

인격병인 게 차라리 다행입니다

지난 주일 성경 공부시간에 J형제님이 안도의 숨을 내쉬며 말한 내용입니다. 라파공동체에 입소한 지 얼마 되지 않아 알코올중독 인지교육 시간에 "알코올중독은 인격병이다"라는 이야기를 들었답니다. 그때든 생각이 '야, 술 좀 먹은 걸 가지고 이제는 인격이 문제라는 소리까지 듣는구나'하는 생각이 들어 은근히 반발심이 생겼더랍니다. '남들도 다 마시는 건데 남들보다 요만큼 더 먹은 걸 가지고 인격 운운하니 말도 안 된다'고 생각했더랍니다.

그러나 지금은 오히려 알코올중독이 인격병이어서 너무나 고맙다고 합니다. 만일 알코올중독이 그저 육체만을 병들게 하는 병이었다면 본인은 그냥 그렇게 술 마시다 육체가 좀 병들더라도 그것을 감수하면서 더 먹었을 것이라는 겁니다. 까짓 놈의 육체 좀 병들면 어떠랴 싶었다는 거지요. 그런데 알코올중독이 단순히 그게 아니라 우리의 인격을 완전히 황폐케 해 놓는 몹쓸 병이라는 사실을 깨닫고 나서는 정신이 번쩍 들더랍니다. '더 이상 이렇게 살 수는 없다. 술에 내 인격을 다 망치게 할 수는 없다'는 결심이 서더랍니다. 그리고 망가진 나의 인격을 회복하고 싶다는 열망이 생기더라는 겁니다. 그러니 알코올중독이 단순한 육체의 질병이 아니라 인격병인 것이 어찌 감사하지 않겠느냐는 것이지요.

"주님, 알코올중독이 인격병임을 알게 해 주시니 고맙습니다. 하나님께서 우리를 창조하신 그대로의 인격을 되찾으려는 열망을 주시니 감사합니다. 우리 형제님들이 모두 창조의 형상을 회복하여 아름다운 인격체로 살아가도록 축복하여 주시옵소서."

방전된 배터리

알코올중독자들은 '방전된 배터리'와 같습니다. 방전된 배터리는 아무짝에도 쓸모없는 무용지물입니다. 배터리가 방전되면 어떤 차도 움직일 수 없습니다. 이와 마찬가지로, 술을 마시고 있는 한, 알코올중독자들이 할 수 있는 일은 아무것도 없습니다. 인생도, 가정도, 직장도… 그 어떤 것도 온전히, 올바로 추스를 수 없습니다. 알코올중독에 대해 AA(Anonymous Alcoholics=알코올중독자들의 모임)1단계에서 규정하고 있는 바,

"나는 알코올에 무력했으며, 내 인생과 생활을 제대로 처리할 수 없었다." 그 자체가 되는 것입니다.

그러나 방전된 배터리라 해도 아직 그 수명을 다한 것이 아닙니다. 그 방전된 배터리에 점프선을 연결해 적절히 충전해 주면 그 배터리는 다시 기능할 수 있습니다. 알코올중독자들도 이와 같이 적절한 충전의 기회를 얻기만 한다면 그들도 인간으로서, 가장으로서, 아버지로서, 남편으로서, 한 사회인으로서 자기의 기능을 적절히 발휘할 수 있는 상태로 되돌아갈 수 있습니다.

알코올중독자들을 버리지 마십시오.
그들을 수명 다한 배터리 취급하지 마십시오.
그들은 다만 방전되어 있을 뿐입니다.

누군가가 그들에게 점프선을 연결해서 충전해 주기만 한다면
그들은 다시 온전해질 수 있습니다.
그들에게 필요한 것은 사랑의 점프선입니다.
그들에게 충전되어야 하는 것은 결핍된 사랑입니다.
결핍으로 텅 빈 그들의 가슴이 따뜻한 사랑으로 충전될 때
그들은 다시 살아나게 될 것입니다.
그들은 다시 기능하게 될 것입니다.
그리고 그들은 다시 우리 곁으로 돌아오게 될 것입니다.
당신이 그 사랑의 점프선이 되어 주십시오.
당신에게 있는 그 사랑을 나누어 주십시오.
당신의 사랑이 그를 다시 살리게 될 것입니다.

괴기열전 금단의 무서움

중독이 깊은 단계로 진행되고 있음을 확인하는 하나의 지표는 진전섬망(delirium tremens)의 발현 여부입니다. 쉽게 말하면 환청, 환시, 환촉을 경험하였느냐는 것입니다. 이것들을 경험한 사람일수록 중독이 깊이 진전된 사람일 가능성이 높습니다. 공동체 형제님들과 함께 각자가 겪은 이 진전섬망에 대해 이야기 하다 보면 그야말로 괴기열전과 무협지를 방불케하는 이야기를 듣게 됩니다. 제정신이 아닌 상태에서 일어난 일이건만 이 진전섬망은 뇌세포에 그대로 기록되어 좀처럼 잊혀지지 않는 생생한 기억으로 남아있습니다. 술을 끊으려는 이유가 이 공포스런 진전섬망을 다시 경험하지 않기 위해서인 경우도 종종 있습니

다. 화가 복이 되는 경우지요.

다른 나라의 경우는 어떤지 모르겠으나 한국의 알코올중독자들이 겪게 되는 진전섬망의 대부분은 두려움과 공포에 대한 것입니다. 그것은 달걀귀신과 같이 사람 비슷한 형체를 가진 귀신을 보는 형태와 칼을 들고 자신을 죽이려 달려드는 사람이나 귀신의 형태를 띄는 것 등이 가장 흔하게 나타납니다.

이 진전섬망이 무의식의 반영이라고 한다면 그것은 아마도 중독자들 마음 깊이 놓여 있는 죄책감과 자기 처벌의 마음이 투사 된 것은 아닐까 짐작해 봅니다.

한밤중에 아무도 없는 방에서 귀신과 함께 대화하기도 하고 눈에 보이는 귀신이 무서워 이불 속에 숨기도 하며, 때로는 황급히 밖으로 도망가던 이야기, 여러 사람이 있는 엘리베이터 안에서 남들이 눈치 채지 못하도록 귀신과 소곤거리며 신경전을 펼치던 이야기 등을 들으며 우리는 포복절도 합니다.

자신을 잡으러 온 귀신들을 피해 10층, 20층 건물 계단을 한 손에는 식칼을 들고 맨발로 비호처럼 오르내리던 이야기, 자기를 죽이러 다가오는 정체불명의 사람들을 피해 3층 옥상에서 뛰어내린 이야기, 007 영화를 보던 중 갑자기 자기방이 영화 속의 집처럼 변화되고 자기 자신이 007이 되어 범인들에게 쫓겨 가는 이야기, 명동 한복판을 걸으며 월남전 정글 속 전투를 치루는 환상에 빠져 총자루를 부여잡은 동작으로 신중히 사주경계를 펼치며 명동 한복판을 걸어간 이야기 등등.

이제는 이런 이야기들을 병의 증상으로 알고 스스럼없이 주고받게 되었으니 얼마나 감사한 일인지 모릅니다. 그것이 병의 금단증상인 것을 몰랐을 때 '아아, 이제 이렇게 나는 정신병자가 되어 가는구나!'하는 두려움으로 얼마나 떨었는지!

금단증상의 하나로 겪게 되는 이 진전섬망의 두려움을 이제 더는 겪지 않는 것만으로도 얼마나 자유하며 감사한 일인지 모릅니다.

지난주 한 형제님이 한밤중에 환시에 쫓겨 두려움에 질린 모습으로 라파의 두 길 높이의 축대를 뛰어 내렸습니다. 두려움에 떨며 방충망을 뜯어내고 방에서 나와 공포에 질린 얼굴로 예배실을 가로질러 뛰어가더니 급기야 축대 밑으로 몸을 날린 형제님은 축대 밑 어두운 곳에 몸을 숨기고 오들오들 떨고 있었습니다. 119를 불러 그 형제님을 병원 응급실로 후송하였습니다. 그 밤, 그 생생한 진전섬망을 여러 형제님들이 목격하면서 중독이란 병의 치명성에 설레설레 머리를 흔들었습니다.

다시는 돌아가고 싶지 않은,
두 번 다시 겪어보고 싶지 않은,
중독의 실체였기 때문입니다.

또 네 눈에는 괴이한 것이 보일 것이요
네 마음은 구부러진 말을 할 것이며,
너는 바다 가운데에 누운 자 같을 것이요,
돛대 위에 누운 자 같을 것이라 잠23:33~34

오늘 우리를 불러 온전케 하시는 주님을 찬양할 밖에요.

갈망

알코올중독자들이 술을 마시다 중단했을 때 겪는 금단증상의 고통은 참으로 가공스럽습니다. 그것은 갈망의 고통입니다. 금단 시에 겪게 되는 "갈망(craving)"은 전문 용어입니다.

그것은 보통 사람들이 말하는 그런 갈망의 차원을 넘어섭니다. 이 갈망 상태가 되면 뇌 속에는 온통 술에 대한 생각과 마시고 싶다는 욕구만으로 가득 차게 됩니다. 온 몸이 술을 부릅니다. 오감이 온통 술에만 집중됩니다. 그럴 때가 되면 다른 사람들의 소리도 들리지 않습니다. 마시고 싶다. 아아, 마시고 싶다. 오직 여기에 생각과 느낌과 욕구가 집중됩니다. 이것이 갈망입니다. 이 갈망은 경험해 본 사람이 아니고서는 쉽게 이해할 수 없는 것입니다.그리고 그 갈망 때문에 단주가 어려운 것입니다.

K형제님이 이틀간 금단의 갈망으로 인해 엄청난 고통을 겪었습니다. 옆에서 지켜보는 모든 사람들도 동일한 고통을 느껴왔습니다. 이틀 동안 아무 것도 먹지 못하고, 이틀 동안 거의 잠도 자지 못했습니다. 오늘 아침 처음으로 함께 밥을 먹었습니다. 할렐루야! 밥 먹게 해주신 주님을 찬양합니다. 죽은 소녀를 살리신 후 "소녀에게 먹을 것을 주라!" 말씀하셨던 주님의 모습이 기억납니다.

저 갈망의 위기를 넘기신 K형제님이 영원한 단주의 새 길에 들어서기를 간절히 바랍니다. 그 갈망이 사랑의 우리 주님에게 집중되기를 기도합니다.

손양원 목사님의 말씀이 떠오릅니다.
"알콜중독자들이 알콜에 중독되어 살아가듯이 나는 예수 중독자가 되어야겠다. 오직 예수에게만 중독되어 살아가야겠다."
주님, 우리에게 오셔서 우리의 갈망이 되어 주십시오.
우리가 주님만을 갈망하나이다.
우리가 오직 주님만 바라나이다.

그가 떠난 이유

알코올중독으로부터 치유되려면 끊임없는 자기 혁신이 일어나야 합니다. 발상의 일대 전환! 사고의 코페르니쿠스적 전환이 필요합니다. 그 전환의 첫 번째는 "나는 절대로 알코올중독자가 아니다"라는 자기 인식을 "나는 알코올중독자다"라는 인식으로 전환하는 것입니다. 두 번째는 "나는 도저히 술을 끊을 수 없다"라는 패배적 사고방식을 버리고 "나는 술을 끊을 수 있다"라는 긍정적 신념을 갖는 것입니다.

지난주 C형제님이 5개월 만에 공동체를 떠났습니다. 도무지 깨어질 것 같지 않았던 자기 자신에 대한 확고한 신념-나는 술을 끊을 수 없다-이 깨어진 직후였습니다.

"나는 여태까지 술은 절대로 못 끊는다고 생각하며 살아왔습니다.

그러나 이제 알겠습니다. 술은 끊을 수 있는 것임을 말입니다. 그리고 저는 지금까지 술을 조절해서 마실 수 있다고 생각했습니다. 그러나 이 제야 알코올중독자들은 술을 조절해서 마실 수 없다는 것을 알게 되었 습니다. 술을 조절해서 마시는 것은 불가능하지만 술을 아주 끊는 것은 가능하다는 것을 알게 되었습니다."

그 형제님의 발언을 듣고 우리 모두는 박수를 쳐 주었습니다. 그 놀라운 발상의 전환이 그를 살려주기를 기대하면서 말입니다. 그러나 그 발언 직후 오래지 않아 C형제님은 공동체를 떠났습니다. 모두가 나서서 그를 만류하였지만 C형제님은 떠나겠다는 고집을 꺾지 않았습니다. 치유는 이제부터 시작인데 그 형제님은 시작점을 마침점으로 여기는 것 같았습니다.

무엇이 문제였을까요?

"내가 술을 끊을 수 있다"라고 생각했기 때문입니다.

그 형제님이 자기 자신이 알코올중독자임을 인정하고 술을 조절해서 마실 수는 없다. 그러므로 끊어야 한다는 것을 인정하기까지 5개월이라는 시간이 걸렸습니다. 그러나 그 형제님이 아직 모르는 것이 있었습니다.

"술을 나의 힘으로, 내가 끊을 수 없다"는 것을 알아야 했습니다.

그러나 그는 아직 거기까지 이르지 못하였기에 공동체를 떠나고 말았습니다.

알코올중독자는 자기 힘과 능력으로, 의지로 술을 끊을 수 없습니다. 오직 하나님이 함께 하심으로 능력주시고 힘주실 때만이 술을 끊을 수 있습니다. 어디를 가든 단주회복자들과 함께 할 때만이 그 승리가 담보될 수 있습니다. 홀로 남겨 있을 때 술을 끊을 수 있는 능력을 갖추기 위해서는 더 많은 훈련과 연단의 과정을 거쳐야 합니다.

나 혼자서는, 나의 힘으로는 술을 끊을 수 없습니다.

그 형제님은 그것을 아직 깨우치지 못했습니다.

그리고 그것이 그가 떠난 이유입니다.

"주님께서 이 모든 일을 이루어주셨습니다."

오랜 단주자들의 입에서 나오는 이 고백이 그냥 나온 것이 아닙니다. 하나님과 동료들의 도움 속에서만 단주할 수 있었다는 생존 경험의 깊은 곳에서 우러나오는 응축된 고백입니다.

끊게 해다오. 그러나 변화는 싫다

단주에 성공하는 중독자와 그렇지 못한 중독자 사이에 중요한 차이점이 있습니다. 단주에 대한 열망을 중심으로 보면 알코올중독자는 세 유형으로 나눌 수 있습니다.

첫 번째 유형은 단주에 대한 열망 자체가 없거나 지극히 미약한 사람입니다. 그들은 여전히 술이 좋고 술 마시는 분위기가 좋기에, 그리고 술이 주는 유익에 푹 빠져 있기에 단주에 대한 아무런 열망이 없는 사람들입니다. 이들이 회복될 가능성은 거의 없습니다.

두 번째 유형은 단주에 대한 열망은 있으나 자기를 변화시키기를 거부하거나 주저하는 사람들입니다. 그들은 이렇게 말합니다.

"술 끊고 싶다. 무슨 일을 해서라도 단주하고 싶다. 그러나 제발 날 변화시키려 하지는 말아다오."

이들이 단주회복에 성공하는 것 또한 매우 어렵습니다. 설혹 단주하고 있다 할지라도 그것은 '깡'단주일 가능성이 크며, 단주회복에 대한 기쁨이 없는 메마른 단주생활일 가능성이 매우 높습니다. 회복의 기쁨이 없는 단주생활은 쉬이 깨지기 마련입니다.

세 번째 유형은 단주에 대한 열망이 있을 뿐만 아니라 자기를 기꺼이 변화시키려는 의지가 있는 사람들입니다. 이들은 말합니다.

"나는 진정 술을 끊고 싶습니다. 술만 끊을 수 있다면 무슨 일이든 하겠습니다. 나를 변화시켜 주십시오. 내가 변하지 않으면 이 병이 고쳐질 수 없음을 나는 압니다."

이 분들은 진정한 단주회복에 성공할 가능성이 아주 많이 있습니다. 그러나 이 분들 중 모두가 단주회복에 성공하지는 못합니다. 자기를 변화시키는 일에는 각고의 노력과 고통이 수반되기 때문입니다. 그 길은 아무나 갈 수 없는 좁은 길이기도 합니다.

오직 자기의 변화에 성공한 사람들만이 기쁨 가운데 단주할 수 있으며 진정한 회복의 승자가 될 수 있습니다. 술을 마신 것은 그 누가 아니라 바로 나 자신입니다. 이 세상 어느 누구도 내가 그렇게 술 마시기를 원하지 않았습니다. 내가 내 자신에게 술을 들어부었을 뿐입니다. 문제는 바로 나 자신에게 있습니다. 그러므로 내가 변하지 않는 단주는 있을 수 없습니다.

영적으로 변해야 합니다.

마음이, 성격이, 인격이 변해야 합니다.

술에 절은 육체가, 습관이 변해야 합니다.

나의 모든 것이 변해야 합니다.

변화에 저항치 말고,

변화에 순응하고,

변화를 즐겨야 합니다.

너의 변화가 아니라,

환경의 변화가 아니라,

바로 나의 변화만이

살 길입니다.

거짓말, 그 놀라운 효용성

S형제님은 사소한 일에도 거짓말을 합니다. 꼭 그럴 필요가 없는데도 거짓말을 합니다. 사실 거짓말은 중독의 특징입니다. 모든 중독자들은 거짓말을 합니다. 그것은 부인, 변명, 전가, 합리화와 같은 중독의 중요 방어기제 중의 하나입니다.

어느 날, 몰래 술을 마시고 들어옵니다. 아내가 귀신같이 이를 눈치채고 싫은 소리를 합니다. "또 오늘도 술 마셨지?" "아니." 이럴 때 대부분의 중독자들은 거짓말을 합니다. "아니긴 뭐가 아냐. 얼굴에 다 써있는데. 이 냄새는 뭐구." 그래도 중독자들은 절대로 아니라고 거짓말을 합니다.

끝내 중독자들이 이깁니다. 아내들은 남편이 술 마신 것을 경험으로 알고 있지만 더는 추궁하지 않습니다. 추궁해 보았댔자 아무런 소용이 없음을 경험으로 알고 있기 때문입니다.

중독자들은 '휴우'하고 안도의 숨을 내쉽니다. 아내가 속아 넘어간 것 같아 안심이 됩니다. 얼마나 다행입니까. 누구랑 마셨냐, 어디서 마셨냐, 얼마나 마셨냐, 돈이 어디서 났냐 등등 끝없이 이어질 질문과 추궁이 이제 더는 주어지지 않겠기 때문입니다. 더는 그런 곤란한 질문에 답하지 않아도 되니 얼마나 다행인지 모릅니다.

아내도 그렇게 속아 넘어가 주는 것이 차라리 낫다고 생각합니다. 술 마신 내막을 시시콜콜 알아 봤자 속만 상하지 좋을 게 하나도 없기 때문입니다.

결국, 나는 술을 마시지 않았고 아무 문제가 없습니다. 그렇게 거짓이 주는 평안 속에서 알코올중독자들은 안심하며 잠자리에 듭니다. 모든 것이 잘 해결되었다는 안도감과 함께….

알코올중독자들에게 진실은 그다지 유용해 보이지 않습니다. 거짓말이 훨씬 효용적인 것입니다.

그러나 그들이 모르는 것이 있습니다.

그가 거짓말을 통해 모든 것이 잘 해결되었다고 생각하는 바로 그 순간에, 아내의 마음속에는 의심이 더욱 커져만 가고, 남편에 대한 불신의 골이 더욱 깊어가고 있다는 사실을 말입니다.

그럼으로써 부부를 이어주고 있는 신뢰라는 사랑의 끈이 야금야금 부식되어 회복불능의 상태로 빠져들고 있다는 사실을….

거짓은 중독자를 파멸로 이끕니다.
인간관계의 핵심인 신뢰를 좀먹습니다.
그리고 끝내 모든 인간관계를 파탄시킵니다.
오직 진실만이, 정직만이 그를 회복의 길로 이끕니다.
거짓말이 주는 거짓 효용에 더는 속지 말아야 합니다.

끼가 생명이다

우리는 지금 끼가 존중받는 시대에 살고 있습니다.
모든 사람들에게는 저마다의 끼가 있습니다.
그리고 어떤 사람들에게는 예인의 끼가 있는 것 같습니다.
그 끼는 천부적인 것일 수도 있고, 후천적인 것일 수도 있습니다.
그 끼는 생명과 같아서 반드시 수용되고 발산되어야 합니다.
그 끼가 꺾이게 될 때 그 생명도 따라서 꺾입니다.

어떤 사람은 그 끼가 꺾여서 중독이 된 사람도 있습니다.
M형제를 보면 그런 생각이 많이 듭니다. 그의 자유정신이 억압되지 않았다면 그는 훌륭한 무용수가 되었을지도 모릅니다. 아니면 많은 사람에게 웃음을 가져다 주는 개그맨이 되었을 수도 있습니다.
그의 끼가 천부적인 것인지, 후천적인 것인지는 분명치 않습니다. 그러나 그에게 넘치는 끼가 있다는 것은 분명한 사실입니다. 그러나 그 끼가 너무 억압되어 그 억압된 에너지가 중독으로 간 것도 분명해 보입니다.

끼는 에너지입니다. 생명 또한 에너지입니다. M형제 안에 억압된 그 끼가, 그 에너지가 공동체 안에서 온전하게 발산되었으면 좋겠습니다. 그래서 그 생명의 활력을 우리 모두가 누리는 은혜가 있었으면 좋겠습니다.

나는 두렵다. 고로 불안하다

알코올중독은 두려움의 병입니다. 그리고 불안의 병입니다.

두렵기 때문에 불안하고, 불안하니 더 두렵습니다.

두려움 중에 가장 큰 두려움은 내가 단주하지 못할 것이라는 두려움입니다. 결국 언젠가 나는 또 마시게 될 것이고, 그러면 모든 것이 영영 수포로 돌아가고 말 것만 같아 두렵습니다. 두려움을 가지고 살자니 불안할 수밖에 없습니다. 마음에 안심이 되지 않습니다. 하루하루가 살얼음판 같습니다.

그 불안을 견디기 힘들어서 중독자는 술을 마십니다. 내가 먼저 술을 마셔버림으로써 그 불안을 깨버리는 것입니다. 미래에 있을지도 모를 재앙을 차라리 오늘 현재화시킴으로써 그 재앙을 극복하고자 하는 것입니다.

단주가 성공적으로 진행될 때조차도 이 두려움과 불안은 중독자들을 떠나지 않는 경우가 왕왕 있습니다.

단주기간이 늘어날수록 어떤 중독자들은 가족과 주위의 기대가 부담으로 느껴지기 시작합니다. 가족들이 기뻐하고 즐거워하는 모습을 보는 것이 부담이 되기 시작합니다. '잘못하면 어떡하지, 이러다가 술을 마셔버리면 어떡하지. 그러면 가족들이 얼마나 실망할까'하는 두려움이 또다시 불안으로 다가오기 시작합니다. 가족들이 실망할 생각을 하니 그 부담감과 불안감은 더욱 크게 느껴지기만 합니다.

이 불안을 해결하기 위해 중독자들이 쉽게 사용하는 방법은 그냥 마셔버리는 것입니다. 그러면 주위 사람들과 가족들은 중독자에게 더는 아무런 기대를 하지 않을 것입니다. 그렇게 함으로써 장차 있을지도 모를 더 큰 실망을 사전에 방지해 버리는 것입니다.

단주 3개월이 지나면 통상적으로 장벽 단계가 시작됩니다. 회복자들이 이 시기에 넘어야 할 장벽 중의 하나는 내 속에서 일어나는 이 '무의식적 불안'을 잘 다루어 가는 일입니다. 이 불안은 내 속에 꼭꼭 숨어 있어서 웬만한 훈련을 받지 않으면 발견하기가 쉽지 않습니다.

이 불안이 해소되지 않을 때 그것은 공격적인 에너지로 전환되는 경우가 많습니다. 공동체 생활에 대해, 사람들에 대해, 규칙과 방침들에 대해, 프로그램에 대해, 때론 자기 자신에 대해 불평과 불만의 에너지로 전환되고 자기도 모르게 공격적으로 변화하게 됩니다.

내 마음에 감사가 사라질 때,

불평, 불만이 쌓여가기 시작할 때,

알 수 없는 짜증과 분노가 일어날 때,

공동체를 떠나 혼자 있고만 싶어질 때,

그럴 때 문제의 본질은 밖에 있는 것이 아니라,
내 안에 있는 불안이 그 근본 원인일 때가 있습니다.

오직 주님 안에 있을 때, 주님의 안전한 품 안에 있을 때만 우리는 그 두려움과 불안을 근본적으로 극복할 수 있습니다. 그리고 그때에 비로소 "두려워 말라. 강하고 담대하라!"는 주님의 음성이 들려오기 시작합니다.

내 속에 있는 어린이

어린이날을 맞아 알코올중독자인 K형제님이 아들을 데리고 보문산 근처에 왔다가 저희 공동체에 들렀습니다. 영 마땅찮은 얼굴로 들어섰지만 이내 평정을 되찾고 30여 분 동안 상담을 나눴습니다. 아들과 함께 보문산에 온 것은 아마도 아내의 잘 짜여진 계획이었던 것 같습니다. 어떻게 해서든 남편에게 라파공동체를 소개해 주려고 슬기롭게 준비한 방문 같아 보였습니다.

일단 말문이 열리자 K형제님은 아내에 대한 감사, 그동안 술을 끊기 위한 마음이 간절하면서도 끊지 못하고 열 한 차례나 병원을 전전한 이야기, 자신이 어쩔 수 없는 알코올중독자라는 것, 어린 시절부터 자신에게는 뭔가 문제가 있었다는 등, 많은 이야기들을 풀어 놓았습니다. 자신이 알코올중독자가 된 원인도 뭔가 잘못된 인생을 살아온 것 때문이라고, 너무 일찍 커버린 것 같다는 이야기도 하였습니다.

"거기서 시작하세요. 그것이 치료입니다. 내가 어딘가 잘못되기 시작했다고 생각하는 거기서 다시 인생을 시작하세요. 내 아들만을 위한 어린이날이 아니라 나 자신을 위한 어린이날이 되게 하세요. 진정한 치료를 원하신다면 우리의 인생을 다시 살아내야 합니다. 이곳 공동체에서 우리가 하는 일 중의 하나는 잘못 살아온 어린 시절을 다시 살아내는 것이랍니다."

예수님께서도 참된 구원의 삶을 바라며 자신을 찾아왔던 니고데모에게 "네가 다시 태어나야 되겠다"라고 말씀하셨습니다. 영적 구원을 위해 우리 모두는 성령으로 다시 태어나야 합니다. 알코올중독자들이 진정으로 치유되고 싶다면 또한 어린 시절을 다시 살아내야 합니다. 참 아버지 되시는 하나님 앞에서 말이지요. 왜냐하면 모든 알코올중독자들은 자기 속에 성장하지 못한 어린아이를 담고 있는 '성인 아이'이기 때문입니다. 어떤 의미에서 알코올중독자들은 '너무 일찍 커버린 아이'라고도 할 수 있습니다. 몸과 뇌는 어른이지만 마음과 정서는 여전히 어린아이에 머물러 있는 병, 그것이 알코올중독입니다.

"주님, 우리 속에 들어 있는 아직도 성장하고 있지 못한 '어린 나'를 축복하여 주옵소서. 당신의 부드러운 손길로 터치하여 주옵소서. 그리하여 우리의 속사람이 날로 성장하고 성숙하게 하여 주옵소서. 우리의 겉사람과 속사람이 일치되게 하여 주옵소서."

너무 억울하다![1]

중독은 억울해서 생긴 병입니다. 너무 억울해서, 도저히 더는 견딜 수가 없어서 술을 마시는 병입니다.

요즘 라파공동체에서는 도박중독자들에 대한 치유가 병행되고 있습니다. 도박중독자들의 핵심 정서 중 하나 역시 '억울'입니다. 그 많은 돈을 잃은 게 너무 분하고 억울해서 또 다시 도박에 빠지고 주식에 빠져들더라는 것입니다.

도박중독의 병을 앓고 있는 이들이 처음에 만나 서로 공감을 주고 받은 대화의 첫출발은 "그동안 얼마나 억울하고 분하셨어요"였습니다. 그 말 한마디로 그동안의 억울함과 분함이 눈 녹듯이 사라지는 것을 지켜보았습니다.

그동안 날려버린 돈을 생각하면 얼마나 억울하고 분할까요? 그러나 세상은 아무도 그 마음을 알아주지 못합니다. 그저 윽박지르고 비난하고 멸시하며 모멸감을 줄 뿐입니다. 다 자업자득일 뿐이라고 내치기만 합니다. 그러면 그럴수록 억울함과 분함은 더욱 커져만 갑니다. 그래서 이번에는 더 큰 판을 벌립니다. 이 억울함과 분함을 한방에 날려버리기 위해서 말이지요.

억울하다는 말은 "애먼 일이나 불공평한 일을 당하여 속상하고 분하다"는 뜻입니다. 그러나 도박중독자들이 느끼는 억울함은 정상적인 의미에서의 억울함이라고 볼 수는 없습니다. 그들은 애매히 고난을 받은 것도 아니요, 불공평한 대우를 받은 것도 아니기 때문입니다. 그런 점에서 그들이 느끼는 억울함은 '병리적 억울함'입니다. 그 억울함은 근본적으로 그들의 잘못된 동기와 그릇된 행동에 의해 야기된 것입니다. 그들은 그것을 잘 알고 있습니다. 그렇기에 어디 가서 그 억울함을 하소연하지도 못하고 풀어 놓지도 못합니다. 그들이 억울함을 호소하면 할수록 사람들로부터 더욱더 손가락질 받기만 할 뿐입니다.

그들에 대한 치료는 그 병리적 억울함을 이해하고 수용해 주며, 공감해 주는 것으로부터 시작됩니다. 이 세상 어느 누구도 알아주지 않는 이 억울함이 받아들여질 때 그들은 비로소 위안을 얻고 안식을 얻기 시작합니다. 마음을 진실하게 열기 시작합니다. 그리고 치료가 시작됩니다.

억울함을 풀어 주는 것을 '신원'이라 합니다. 도박중독자들의 병리적 억울함을 이해해 줄 수 있는 사람은 똑같은 아픔을 겪고 있는 중독자들입니다. 그들의 마음을 전문적으로 연구해서 공감해 줄 수 있는 상담치료 전문가들도 그들의 억울함을 이해하고 받아들일 수 있습니다. 그리고 하나님께서 그들의 억울함을 신원해 주십니다. 우리 하나님은 '신원해 주시는 하나님'입니다. 그 하나님께서 이 땅의 모든 억울함을 들어주시고 신원해 주실 것입니다. 비록, 그것이 병리적인 것이라 할지라도 말입니다.

사람들을 억울함으로부터 풀어 주고 자유케 하는 일! 그것이 치료입니다.

너무 억울하다![2]

한국인의 고유한 정서적 특질이 '한'이라는 점에서 많은 사람들이 동의할 듯 싶습니다. 한국인에게서 나타나는 특징적인 마음의 병이 '화병'

이라는 점에서 양자는 서로 연관성을 갖습니다. '한'이 '화병'의 재료가 됩니다. 한이 많이 맺힌 사람이 화병을 갖게 됩니다. 억울함도 그런 점에서 비슷하지 않을까 싶습니다.

억울함의 감정이 한국인 중독자 치유에서 매우 중요한 감정이라는 사실을 요즈음 많이 느끼고 있습니다. 도박중독자들 속에서만 이 억울함의 감정이 중요한 것이 아니라 알코올 중독자들 속에서도 이 감정이 매우 중요합니다.

알코올중독자들은 자기 자신이 중독자가 된 사실을 억울해 합니다. 억울한 감정을 가지고 있다는 것은 자기 자신이 중독자가 된 원인이 자기 자신에게가 아니라 다른 어딘가에, 누군가에 있다고 생각하기 때문입니다.

알코올중독뿐만 아니라 모든 중독의 원인은 역기능 가정입니다. 모든 중독자들은 역기능 가정에서 성장하였습니다.(사실 알고 보면 모든 가정이 역기능 가정이지만요) 자신이 중독이 된 이유가 전적으로 자기 자신에게 있는 줄 알았는데, 성장과정에서 마음의 상처와 심리적 역기능성에 큰 원인이 있다는 사실을 깨닫게 될 때 중독자들은 일말의 위로와 위안을 얻습니다. 다 내 잘못만은 아닌 것입니다. 그 깨달음은 중독자들 내면에 깊숙이 남아 있는 죄책감과 자학의 마음을 누그러뜨려 줍니다. 다 내 잘못만은 아닌 것 같아 "후~"하면서 안도의 숨을 내쉬기도 합니다.

그러나 시간이 좀 더 지나면 이번에는 억울한 감정이 똬리를 틀듯 마음 깊숙한 곳을 차지하기 시작합니다. 그때 아버지가, 어머니가, 아내가, 혹은 그 누군가가 그렇게 나를 억압적으로, 폭력적으로 대하지만 않았더라면, 내가 원하는 사랑과 따뜻함과 관심을 나누어주었더라면, 나는 중독자가 되지 않았을 것 같은 아쉬움이 서서히 차오르다가 끝내는 억울함으로 맺혀갑니다.

그들이 내 인생을 망쳤다!
내 인생은 도난 당했다!
그러므로 책임은 그들에게 있다!
나는 억울하다! 너무 억울하다!

억울한 사람은 신원되어야 합니다. 아니면 억울한 사람에게는 그에 상응하는 보상이 주어져야 합니다. 알코올중독자들에게 그 가장 좋은 보상은 술입니다. 억울한 감정은 알코올중독자들에게 자격감(entitlement)의 옷을 입혀줍니다. 나는 억울한 사람이기에 보상받을 자격이 있다고 생각하기 시작합니다. 그리고 술을 마십니다. 단주의 인생은 여기서 멈춥니다. '억울함과 보상'의 새로운 악순환이 이렇게 다시 시작됩니다. 치료의 길은 아직 멀기만 한데….

오늘의 감사에 머물 때
과거의 억울함은 능히 극복될 수 있습니다.

"주님, 우리를 오늘의 감사에 머물게 하여 주옵소서.

억울함의 과거의 망령으로부터 자유케 하여 주옵소서."

다중 중독

다중 중독이란 두 개 이상의 중독에 빠져 있는 것을 말합니다. 이를테면 알코올중독과 성중독, 알코올중독과 도박중독 등을 함께 가지고 있는 것입니다. 알코올중독과 일중독, 쇼핑중독 등을 동시에 가지고 있는 경우도 흔한 일입니다.

중독은 인격병입니다. 그 사람의 인격 안에 중독으로 빠져들 수밖에 없는 그 무엇이 있다는 것입니다. 그러므로 오늘 그 사람의 손에 무엇이 쥐어지느냐에 따라 그의 눈에 무엇이 보이느냐에 따라 중독의 종류가 결정되는 것이라 말할 수 있습니다.

중독의 원인은 인격 안에 남아 있는 채워지지 않은 결핍입니다. 그리고 그 결핍의 핵심은 사랑입니다. 성장 과정 중에 채워지지 않은 사랑의 결핍이 그를 중독으로 이끈 가장 확실한 원인입니다.

그 결핍을 메우기 위한 노력이 바로 그 무엇에 집착하는 것이고, 그 집착이 바로 중독인 것입니다. 사랑이 결핍되었기 때문에 결핍된 그 사랑을 메우려고 하는 것은 지극히 당연한 이치입니다. 그러나 그것을 왜곡된 방법으로 충족하려 할 때 중독은 시작됩니다.

성은 부부 관계 안에서만 누려야 합니다. 그것은 가정의 울타리 안에서만 이루어져야 합니다. 그것이 성경의 가르침이고 하나님의 뜻입니다. 그 이외의 것은 모두 다 간음일 뿐입니다. 미국의 경우 알코올 중독자들의 50%가 성((性)중독자라는 보고가 있습니다. 우리나라의 경우 이에 대한 확실한 통계는 없지만 라파공동체의 경험으로 보면 약 30% 정도가 성중독의 경향을 띠고 있습니다.

단주 회복의 길에서 성 문제는 매우 커다란 난관 중의 하나입니다. 욕정을 제어하지 못할 때 단주 생활은 온전히 유지될 수 없습니다.

"그러면 우리더러 신부들처럼 살라는 말입니까!"

정욕에 목말라하면서 어떤 이들은 이렇게 외칩니다. 단주만 하면 됐지, 인간의 본성까지 거스를 수는 없는 일 아니냐는 것입니다. 이 부패하고 타락한 세상에서, 돈 몇 푼이면 쉽게 여자를 살 수 있는 이 세상에서, 성적 순결을 지키며 산다는 것은 그리 만만한 일이 아닙니다.

그러나 만일 당신이 알코올중독자라면 당신의 영원한 단주 회복을 위해서 성적 순결을 지켜야만 합니다. 신부처럼 살아야만 합니다. 거룩하여야 합니다. 정결하여야 합니다.

4개월 이상 10개월까지 비교적 장기간의 단주에 성공하는 듯한 형제님들이 다중 중독의 장벽에 걸려 다시 재발하고는 했습니다. 어떤 이는 도박이 재발하면서 음주하게 되었고, 어떤 이들은 성적 충동을 제어하지 못해 재발하고는 했습니다. 다중 중독자들이 걸어야 할 단주 회복의 길은 참으로 어렵고 험난한 길입니다. 거룩하여지고 , 정결하여지지 않으면 갈 수 없는 길입니다.

하나님 앞에 서 있다는,

하나님이 내 모든 일을 다 보고 계시다는,

뚜렷한 영적 의식이 없이는

그 누구도 갈 수 없는 길입니다.
그러므로 모든 중독은
영적으로만 치료될 수 있는 병입니다.

죄 사함의 권세를 가진 술

신앙은 주관적 체험에 의해 강화될 때가 많습니다. 그 주관적 체험을 통해 머릿속에 머물던 지식으로서의 신앙이 마음속으로 내려오는 것이지요.

"알코올중독은 영적 차원에서 우상숭배다"라는 진술에 믿음을 가진 형제님들은 대체로 수긍을 합니다. 하나님, 아내, 가족들보다 술을 더 좋아했고 찾았으니 어찌 우상숭배가 아닐 수 있겠습니까.

얼마 전 로마서 새벽묵상 시간에 한 형제님이 "술이 우상숭배라는 사실을 오늘에서야 확실히 깨닫게 되었다"고 고백했습니다. 술 마시고 있을 때를 가만히 생각해 보니 "술이 나의 죄를 사해주는 권세까지 가지고 있었다!"는 것을 발견하고 소스라치게 놀랐다는 것입니다.

알코올중독자들은 마시지 말아야 한다고 생각하면서 과한 음주를 하고 난 다음날은 유난히 죄책감에 시달립니다. 특히 술 마시면서 부끄럽고 비난받을 만한 행동을 하기라도 했다면 그 수치심과 죄책감은 더할 나위 없이 증폭됩니다. 그럴 때마다 술은 이렇게 말했답니다.

"괜찮아, 그건 네 잘못이 아니야. 다 나 때문이야. 술 때문에 그런 거니까 괜찮아. 너는 죄가 없다니까."

그 말이 얼마나 위로가 되었는지 그 위로 덕분에 또 하루를 시작할 수 있었다는 것입니다. 얼마나 어처구니가 없는 일입니까? 모든 문제의 근원이 술 그놈 자신인데 그놈은 하나님의 자리에 앉아 술 마신 자신의 죄를 사하여 주고 있었다니 이 얼마나 소름끼치는 일이었냐는 것이었습니다.

술, 놈은 우리의 죄를 더하여 주는 악마의 도구입니다. 때론 그놈 자신이 악마가 되기도 합니다. 정상 음주를 하는 사람들에게는 몰라도 적어도 우리 알코올중독자들에게 술은 강력한 마성을 동반하는 저주의 독약입니다.

우리의 죄를 사하여 주시는 분은 하나님 한 분뿐이십니다.
우리의 죄를 사하여 주시기 위해 십자가에서 돌아가신 분은 예수님이십니다.
우리를 우상의 늪에서 건져 올리실 분도 여호와 하나님이십니다.

두 원망

원망은 중독자들이 흔히 갖고 있는 부정적 감정의 하나입니다. 알코올중독자들이 안주 없이 술을 마실 수 있음은 원망이라는 기막힌 안주를 가지고 있기 때문입니다. 원망을 질겅질겅 씹으며 중독자들은 술을 마십니다. 마시면 마실수록 원망은 더욱 커져만 갑니다. 그리하여 그 스스로는 도저히 헤어나올 수 없는 원망의 심리적 굴레에 빠져들게 됩니다.

어떤 계기, 어떤 순간에 그 원망이 다 부질없는 것임을 깨닫게 될 때,

설혹 원망스러운 일이 있었다 할지라도 그것에 더는 집착하지 않기로 결단할 때 회복의 삶은 시작됩니다.

회복의 길을 걷고 있는 중독자가 재발하게 되는 주요 징후 중의 하나는 잊었던 원망이 되살아나는 것입니다. 자신이 중독자라는 것이 원망스럽고, 자신이 중독자가 될 수밖에 없었던 환경이 원망스럽고, 새롭게 헤쳐 나가야 하는 현실이 원망스럽습니다. 원망의 힘은 참으로 대단해서 회복의 여정에서 맛보았던 모든 행복과 기쁨을 잊어버리게 합니다. 원망이 되살아나면서 인생은 갑자기 캄캄한 어둠이 되고 우울한 잿빛으로 변합니다.

회복의 길에서 원망이 되살아나는 경우는 대개 기대가 클 때 일어납니다. 기대가 좌절되는 곳에서 원망은 되살아납니다. 그러므로 원망을 다루려면 먼저 기대를 다루어야 합니다. 기대를 다루는 가장 좋은 방법은 일의 결과를 하나님께 맡기는 것입니다. 하나님이 나와 함께 하심을 믿는 것입니다. 하나님은 언제나 내게 좋은 것 주시는 분이심을 알고 내게 일어난 모든 결과를 최상의 것으로 받아들이는 것입니다. 그저 내게 일어난 모든 일들을 하나님의 최선으로 믿고 받아들이는 것입니다. 오늘 내게 일어난 일은 정녕 하나님의 최선인 것입니다. 최선의 일이 내게 이미 일어났는데 기대할 무엇이 더 남아 있겠습니까?

세상은 둥근 법.
원망이라고 다 부정적인 것만은 아닙니다.
아름다운 원망도 있습니다.

지난 주일 예배를 채 마치기 전에 K형제님이 얼굴을 감싸고 밖으로 뛰쳐나갔습니다.

아무도 없는 정자 옆 수풀 속에 들어가 한참을 울었답니다. 뒤따라간 다른 형제님이 왜 울었느냐고 묻는 질문에 하나님이 원망스러워 울었답니다. 무엇이 원망스러웠느냐고 묻자 왜 이제 불러 주셨는지, 그게 원망스러워 울었답니다.

이런 원망이 날마다 날마다 일어난다면 얼마나 좋겠습니까? "하나님, 그 긴 세월 어디서 뭐하시다가 이제야 저를 부르셨습니까? 하나님이 원망스럽습니다, 정말 원통합니다. 조금만 더 일찍 부르셨다면, 조금만 더 일찍 부르셨다면…."

오오, 이 얼마나 아름다운 원망입니까?

바야흐로 그의 영혼이 하나님을 만나고 있다는 것이 아닙니까!

잠자던 영 깨우시고, 죽은 영을 살리시는 성령님을 찬양합니다.

보상의 심리

알코올중독은 재앙입니다. 재앙 중에서도 아주 큰 재앙입니다. 그것은 인생의 홍수를 만난 것과 같습니다. 알코올중독자들은 술의 홍수에 떠내려가는 사람들입니다. 주변의 많은 사람들이 그가 홍수에 떠내려가는 것을 바라보고 있지만 그를 도울 수도, 건져낼 수도 없어서 발만 동동 구르고 있는 형국입니다. 극심한 두려움과 공포 속에서, 그 불가항력적인 무력감 속에서, 알코올중독자들은 한없이 한없이 떠내려만 갑니다.

그럴 때, 정말 기적같이 하늘에서 굵은 동아줄이 내려와 그 줄을 잡고 어떤 중독자들은 술의 홍수에서 벗어나기도 합니다. 살려만 주세요, 하나님 살려만 주세요. 그 간절한 기도에 하나님이 응답해 주셔서 하늘에서 구원의 동아줄을 내려주시고 그는 그 줄을 잡고 휩쓸려 가는 홍수의 재앙으로부터 구조되기에 이릅니다.

한동안 구원의 기쁨이 그를 사로잡습니다. 그러나 오래지 않아 그는 홍수에 떠내려간 세간살이며, 논밭을 아쉬워하고, 급기야는 홍수를 막아주지 않은 하나님을 원망하기에 이릅니다. 이럴 바에는 뭣하러 자기를 구원했느냐고 하나님에게 강짜를 부리기도 합니다. 구원의 기쁨은 자취도 없이 사라지고 맙니다.

단주 회복의 길에서 부딪치게 되는 현상입니다. 알코올중독이라는 재앙에서 구조되어 단주회복의 길을 걷다보면 누구나 한번쯤은 이 보상의 심리와 마주치게 됩니다. 하나는 보상받고 싶은 마음입니다. 다른 하나는 보상해 주려는 마음입니다.

보상해 주려는 마음은 회개의 마음입니다. 용서의 마음입니다. 잘못을 비는 마음입니다. 그리고 지난날의 잘못에 대해 대가를 치르려는 기꺼운 마음입니다. 그것은 단주회복에 꼭 필요한 마음입니다. 보상받고 싶은 마음 역시 자연스런 인간의 마음입니다. 결코 녹록치 않은 단주 회복의 길을 걸으면서 보상받고 싶은 마음이 일지 않는 사람이 어디에 있겠습니까?

한 명의 알코올중독자가 술을 끊고 살아간다는 것은 정말 대단한 일입니다. 그러므로 그 일에 대해 보상받고 싶어 하는 것은 지극히 당연한 일입니다. 그러나 그 마음이 지나치게 될 때 단주는 깨어지기 쉽습니다.

회복 중인 알코올중독자들에게 가장 큰 보상은 단주 그 자체입니다. 그 이상의 것은 욕심입니다. 깨어진 가정의 회복, 좋은 직장, 넉넉한 보수, 잃어버린 명예의 회복… 물론 다 중요한 것입니다. 그러나 내가 단주한다고 해서 그것들 모두가 내게 저절로 굴러들어오지는 않습니다. 왜냐하면 그것들은 내 의지만으로는 얻을 수 없는 것들이기 때문입니다. 내 마음대로 컨트롤할 수 없는, 상대가 있는 일들이기 때문에 그렇습니다. 나는 나에 대해서만 책임질 수 있습니다. 나는 나에 대해서만 컨트롤할 수 있습니다. 내가 단주한다고 해서 세상이 나를 위해 바뀌어지는 것은 아니란 말씀입니다.

가족들에게 내가 줄 수 있는 가장 큰 보상, 가장 큰 선물은 단주입니다.

내가 단주함으로 가족들이 행복해하고 기뻐한다면 그것으로 되었습니다. 내가 나에게 줄 수 있는 가장 큰 보상, 가장 큰 선물도 단주입니다.

단주하는 내가 스스로 대견스럽고 자랑스럽습니다.

다시는 술에 절어 살아가지 않아도 되는 나 자신이 너무도 좋습니다.

아침마다 호흡하는 이 싱그러운 공기가 너무도 좋고,

떠오르는 태양을 부끄럼 없이 바라볼 수 있어서 너무도 행복합니다.

맑은 정신으로 바라보는 이 세상은 또한 얼마나 아름다운지요.

내 안에, 살아 숨 쉬는 것의 기쁨이 차곡차곡 쌓여만 갑니다.

그러면 되었습니다. 그 이상의 것은 사치입니다. 욕심입니다.

그 이상의 것이 주어진다면 그것은 하늘이 주는 보너스일 뿐입니다.

K형제님이 한동안 그 보상심리에 휩싸여서 힘들어 했습니다. 병원 생활을 포함해 6개월 이상을 단주하고 보니 은근히 헤어진 아내와 딸에 대한 그리운 마음이 솟구쳐 올랐습니다. 그들을 만나서 보상 받고 싶은 마음이 지워지지 않았습니다. 조급함, 초조함, 허전함이 그의 마음을 지배했습니다.

"이게 뭐야, 열심히 단주했는데 이게 뭐야, 아무런 보상도 없이….”

그 우울과 번뇌의 터널을 지나 K형제님이 다시 단주의 기쁨을 되찾았습니다. 평안을 찾고 이렇게 고백합니다.

"모든 것을 주님께 맡깁니다. 그저 저는 기다릴 뿐입니다. 주님께서 저를 재앙으로부터 구해 주시고 살려 주셨는데 더는 무엇을 바라겠습니까? 그저 감사할 따름이지요. 다만 제 마음의 바람을 주님께 아뢰고 주님께서 이루어주시길 기다릴 뿐이지요. 단주케 해주시는 것만으로도 이미 하나님의 은혜가 족합니다.”

주님께서 K형제님에게 단주 이상의 더 큰 보상을 이루어 주실 줄 믿습니다. 자기를 믿고 나아오는 자들에게 하나님은 상 주시는 분이심을 믿습니다.

사랑장애

오늘 우리 시대 문제의 핵심에는 '사랑장애'가 있습니다. 많은 사람들이 사랑 장애를 앓고 있다는 말입니다. 지난날에는 눈에 보이는 장애가 있는 사람을 장애인이라 불렀습니다. 그러나 보이지 않는 장애를 가지고 있는 장애인들이 점점 늘어만 가는 세상 속에서 우리는 살아가고 있습니다.

알코올중독은 대표적인 사랑 장애입니다. 사랑해서는 안될 것을 사랑하는 장애입니다. 사랑해서는 안될 것에 집착하는 장애입니다. 보통 사람들이 술을 사랑하는 것은 그의 자유입니다. 그러나 알코올중독자들은 술을 사랑해선 안됩니다. 왜냐하면 중독자들은 그 술을 조절하고 통제할 수 없기 때문입니다. 집착한다는 것은 그렇게 하면 안된다는 것을 알면서도 들러붙는 것을 말합니다. 그러므로 그것은 병적인 것입니다.

병적인 집착은 사랑이 아닙니다.

병적인 사랑도 사랑이 아닙니다.

왜 알코올중독자들은 알코올을 그렇게 병적으로 사랑하는 것일까요? 그 이유는 간단합니다. 사랑 받기 위해섭니다. 자기가 그렇게 목숨 걸고 알코올을 사랑하는 것처럼 누군가도 자기 자신을 그렇게 목숨 걸고 사랑해 주기를 바라는 마음을 그렇게 표현하는 것입니다.

그러므로 누군가가 알코올중독자를 목숨 걸고 사랑해 준다면 그의 병은 치유될 수 있습니다. 완전한 사랑이 치유의 열쇠입니다.

그러나 이 세상 사람 중에 알코올중독자를 자기 목숨을 걸고 사랑할 사람은 아무도 없습니다. 오직 한 분! 사랑의 하나님! 그분만이 이 일을 하실 수 있습니다. 그분 안에서 중독자들의 사랑장애는 치료될 수 있습니다. 그분만이 온전한 사랑을 회복시켜 주실 수 있습니다. 그렇게 회복된 눈으로 자기를 보고 주위를 돌아볼 때 얼마나 많은 사람들이 나를 사랑하고 있었는지를 깨닫게 되는 법이지요.

사랑은 여기 있으니 우리가 하나님을 사랑한 것이 아니요 하나님이 우리를 사랑하사 우리 죄를 속하기 위하여 화목제물로 그 아들을 보내셨음이라 사랑하는 자들아 하나님이 이같이 우리를 사랑하셨은즉 우리도 서로 사랑하는 것이 마땅하도다 요일4:10~1

'스스로' 병

지난 10월 K형제님이 공동체에 입소했습니다. 올해 서른다섯 살인 K형제님은 역대 최연소 입소자라는 기록을 가지게 되었습니다.(나중에 이 기록은 20대 입소자들에 의해 깨졌습니다) 한 살이라도 더 일찍 알코올중독이 병이라는 사실을 깨닫고 치유의 길을 찾아나서는 것이 얼마나 커다란 복인지요.

사실 K형제님은 지난 4월 공동체를 방문하여 입소상담을 한 적이 있었습니다. 그러나 그 때는 아직 하나님의 때가 아니었는지 입소를 하지 않았습니다.

"그래도 내가 스스로 한 번 더 해보고 싶더라구요."

그 당시 입소하지 않은 것에 대한 K형제의 변이었습니다. 알코올중독을 스스로 치유하고, 스스로 단주할 수만 있다면 얼마나 좋을까요?

알코올중독은 '스스로의 병'입니다. 스스로 이 병을 치유할 수 없음에도 불구하고 기어코 스스로 고쳐보겠다고 고집하는 병입니다. 그러므로 이 병의 치유는 스스로 이 병을 치유할 수 없다는 것을 인정하는 데서부터 시작됩니다. 무슨 일이든, 스스로, 자기가 잘 알아서 생각하고 판단하고 결단하고 행동하는 것은 우리 모든 사람들이 바라는 바람직한 삶의 태도입니다. 그러나 그러한 태도가 병을 고치는 데 그대로 적용될 수는 없습니다. 심각한 병이 든 사람은 의사를 찾아가 병을 고침 받아야 합니다. 암에 걸린 사람이 스스로 자기 배를 째고 암 덩어리를 떼내는 수술을 감행하지는 않습니다. 그가 스스로 할 수 있는 일은 좋은 의사를 찾아서 그에게 스스로 자기 몸을 맡기는 일까지입니다. 그 이상은 그의 몫이 아니라 의사의 몫입니다.

알코올중독 병의 치유도 이와 마찬가지입니다. 중독은 심각한 병입니다. 독가스에 중독되고, 수은에 중독되고, 청산가리와 같은 독극물에 중독되었을 때 그 사람을 치료하지 않고 가만히 놔두면 그 사람은 죽고 맙니다. 알코올에 중독된 사람도 가만히 놔두면 죽고 맙니다. 다른 중독과 다른 것은 서서히 죽어간다는 것뿐이지요. 그래서 알코올중독을 '서서히 자기 자신을 죽이는 점진적 자살'이라고도 말합니다.

서른다섯 살 K형제가 스스로는 도저히 이 병을 고칠 수 없어서, 도저히 혼자서는 술을 끊을 수 없음을 깨닫고 공동체에 입소했습니다. 스스로는 할 수 없기에 이제 K형제님은 위대하신 힘, 곧 우리 주 하나님께 모든 것을 맡기기로 결단하였습니다. 여호와 라파, 치료하시는 하나님께서 이제 그의 몸과 마음과 영혼을 치유하여 주실 것입니다. 우리가 스스로 할 수 있는 일은 내 몸과 마음과 영혼을 전능하신 하나님께 온전히 내어 맡기는 데까지입니다. 그것이 나를 버리는 위대한 결단입니다. 내가 나를 버리고 하나님 앞으로 나올 때 하나님은 나를 당신의 사람으로 세워 주실 것입니다.

K형제님이 단주회복을 통하여 하나님의 사람으로 세워지기를 간절히 기도합니다.

슬픈 자여, 그대 이름은 장남

장남과 차남과 막내 중 누가 알코올중독에 걸릴 확률이 가장 높을까요? 형제 서열이 중독에 미치는 영향에 대한 연구결과가 있는지에 대해서는 잘 모르겠습니다만 라파공동체의 경험으로 보면 형제 서열과 중독과는 상당한 연관이 있습니다.

저희 공동체의 경험을 보면 형제 서열 중 중독에 걸릴 확률은 장남이 압도적으로 높습니다. 전체 입소자 중 장남이 차지하는 비율은 60~70% 정도 되고 나머지를 막내와 차남이 차지하고 있습니다.(여기에는 외아들의 경우와 남매의 경우를 포함하였습니다)

다른 나라의 경우에는 어떤지 모르겠지만 한국의 알코올중독자들 중 장남이 차지하는 비율이 압도적으로 높은 것은 한국의 특수성을 반영하는 것이 아닐까 생각합니다. 장남(혹은 외아들)들이 알코올중독에 빠져들게 되는 심리적, 환경적 요인은 부모와 주위의 지나친 기대 때문입니다. 기대가 지나쳐 압력이 되고, 그 압력 때문에 자기가 원하는 삶을 살아내지 못한 것이 장남들을 중독으로 내몰게 된 주요 요인이라 할 수 있습니다. 내 인생은 나의 것이어야 합니다. (물론 하나님 안에서이지만) 내가 판단하고 내가 결정하고 내가 가꾸어 가는 것이어야 합니다. 이 '자기감'이 없는 인생은 공허합니다. 그럴 때 사람들은 그 공허를 채울 다른 그 무엇을 찾게 마련입니다.

이러한 내재적 요인이 있는 데다 실제의 삶이 그 기대에 미치지 못할 때 장남들은 좌절하고 실망하여 술에 의존하게 됩니다. 한국의 알코올 중독자들의 상당수는 술을 회피 목적으로 사용합니다. 인생의 무게를 견디지 못해 술을 마시고, 술로 도피한다는 말씀입니다.

인생의 무게에 짓눌린 사람들, 그래서 슬픈 사람들, 그대 이름은 중독에 걸린 장남입니다.

수고하고 무거운 짐진 자들아, 다 내게로 오라! 내가 너희를 쉬게 하리라
마11:28

우리를 불러 쉼을 주시는 주님이 계시므로 삶에 지친 장남들에게도 소망이 있습니다.

어이없다

어이없다는 말의 사전적 정의는 "일이 너무 엄청나거나 뜻밖이어서 기가 막히다. 어처구니가 없다"는 뜻입니다. 라파공동체 최연소, 최단기 입소자인 H형제의 전용어는 '어이없다'였습니다. H형제는 15살의

중학교 2학년 학생으로 컴퓨터중독 때문에 라파공동체에 봄방학 기간을 이용해 3주 예정으로 입소하여 생활하여 오고 있습니다. 이제 내일이면 그는 모든 과정을 마치고 가족이 있는 집으로 돌아갈 것입니다. 그는 공동체 생활을 하는 중에 툭하면 '어이없다'는 표현을 사용하고는 했습니다. 그 표현은 대체로 부적절해 보였습니다. 그렇게 어이없는 상황이 아닌데도 그는 피식 웃으며 "어이없네!"하고 말하곤 했습니다.

약 20일간의 공동체 생활을 통해 그러나 그 '어이없다'는 표현이 그의 내면의 상태를 반영하는 최적의 표현이었음을 알게 되었습니다. 어이없다는 표현은 그의 내면의 상태를 압축적으로 표현해주는 여러 가지 뜻을 가진 다의어였습니다. 그는 뭔가 자기 뜻이 제대로 전달되지 않을 때 어이없다고 말했습니다. 자기 말을 제대로 이해하지 못하는 사람이 어처구니가 없다는 것 같았습니다. 뭔가를 표현하지 못하고 답답해할 때 어이없다는 말을 했습니다. 어처구니가 없는 상황을 맞았는데 어떻게 표현해야 할지 모를 때 그 표현을 사용하는 것 같았습니다. 자기의 속마음을 정확히 털어놓거나 표현하지 못하면서 어이없다는 말을 사용할 때마다 오히려 어이없었던 사람들은 주위에 있는 사람들이었습니다. 도대체 자기 생각이나 뜻을 분명히 얘기하지도 않으면서 어이없다고 하니 옆에서 듣는 사람들은 그의 처사가 오히려 어이없을 수밖에 없었던 것이지요.

그러나 20일간의 생활을 통해 그가 왜 그 표현을 즐겨 사용했는지에 대해 이해할 수 있게 되었습니다. 그 표현은 그의 삶 자체, 그의 인생의 중심 국면을 비교적 정확하게 반영하는 표현이었던 것입니다.

모든 중독이 그러하듯이 컴퓨터 중독도 예외는 아닙니다. 모든 중독은 욕구 결핍으로부터 생겨납니다. 그래서 그 욕구가 충족되면 중독적 행위가 멈추거나 극복될 수 있습니다. H형제의 삶의 최대의 욕구는 부모들과의 대화였습니다. 그는 자기가 바라고 원하는 것이 바로 가족 간의 대화라고 했습니다. 물론 처음에는 자기가 바라는 것은 아무 것도 없다고 했습니다. 그저 모든 것이 자기가 문제이니 자기만 컴퓨터를 안 하면 된다고 말했습니다. 왜 컴퓨터를 통제할 수 없는가에 대해서는 알려하지도 않았습니다. 그저 단순하게 컴퓨터를 스스로 조절하고 통제하기만을 바랐습니다. 요컨대, 그는 자신의 삶의 문제를 깊이 있게 바라볼 힘도 없었고 그저 보이는 문제가 즉각적으로 해결되기만을 바라고 있었습니다.

　　그런 그가 수용적인 분위기 속에서 자기 내면의 소리, 내면의 욕구를 발견하게 되었습니다. 그가 가족들에게 가장 바라는 것은 대화였습니다. 그가 라파공동체를 좋아하게 된 가장 큰 이유는 다양한 프로그램을 통해 끝없이 이어지는 대화였습니다. 그 대화 욕구가 충족되면서 자신에게 정말 필요한 것이 대화였음을 그는 분명히 깨닫게 되었습니다. 그가 가족들에게, 부모들에게 꾸준히 요구했던 것도 사실은 가족 간의 대화였습니다.

　　그렇다면 이 가족에게 대화가 없었던 것일까요? 그렇지는 않았습니다. 대화는 있었지만 만족스런 대화가 없었다는 것이 문제라면 문제였습니다.

　　사람들이 대화를 하는 이유는 무엇입니까? 의사소통을 위해서입니다. 의사소통이 잘 될 때 가족들은 하나임을 느낍니다. 서로가 수용되고 이해되며 사랑받고 있음을 느낍니다. 그러나 의사소통이 되지 않을 때 가족들은 서로에 대해 소외되며 가족 안에서 서로 고립되는 사태가 발생합니다.

"엄마하고는 대화를 많이 하죠. 근데 항상 엄마가 이겨요. 엄마하고는 대화를 많이 하지만 잘 통하지는 않죠. 그런데 아빠하고는 통하긴 통해요. 그렇지만 아빠하고는 대화가 거의 없죠."

가족 간의 대화를 간절히 원하는 H형제가 전해준 그와 부모 사이의 대화모형입니다. 그가 간절히 원했던 것은 자기와 통하는(자기가 통한다고 믿는) 아빠와 대화하는 것이었습니다. 엄마하고는 대화하고 싶은 마음이 별로 없었습니다. 왜냐하면 많은 대화를 이미 나누고 있지만 별로 통하지는 않기 때문이었습니다. 그런데 아빠는 그저 자기를 "믿는다"고만 할 뿐 같이 놀아준다거나 대화하거나 하는 실질적인 조치를 별로 취하지는 않았습니다. 그랬기 때문에 아빠가 나를 믿는다는 말이 H형제에게는 공허하고 빈말인 것처럼만 느껴졌습니다.

엊그제 H형제를 주인공으로 형제, 자매님들과 함께 벌인 역할극(사이코 드라마)을 통해 그의 삶의 정황이 뚜렷이 나타났습니다. 가족들과 대화를 원하나 정작 의미 있는 대화를 나누지 못하는, 진정한 의사소통이 일어나지 못하는, '어이없는' 상황이 너무도 잘 이해되었습니다. 자기 자신으로서는 어찌해 볼 도리가 없는 이 불가항력적인 답답한 상황이 늘 그를 '어이없게' 만들었습니다. 대화는 되지만 통하지 않는 엄마와 통하기는 하지만 대화가 없는 아빠! 이 '어이없는' 상황이 H형제가 처한 삶의 문제의 핵심이었습니다. 그래서 그는 그 무력감을 달래기 위해, 그 외로움을 달래기 위해 언제나 자기를 반겨 주고, 자기의 존재감을 느끼게 해주는 컴퓨터 게임에 매달리게 되었던 것입니다.

이제 내일이면 H형제는 집으로 돌아갑니다. 그가 돌아간 집에서 '어이없는' 상황이 또다시 연출되지는 않을 것입니다. 자식을 이해하게 된 그의 부모들이 기꺼이 그들 자신을 변화시키려 하기 때문입니다. 깊게 통하는 의사소통의 새로운 장이 열릴 것이기 때문입니다. 다음에 다시 H형제를 만날 때 우리는 그가 '어이없는' 삶이 아니라 '어이있는' 삶을 살고 있음을 알게 될 것입니다. 부자지간, 모자지간에 아름다운 친교가 이루어지고 있음을 듣게 될 것입니다.

우울, 교만의 또 다른 얼굴

알코올중독자들의 우울은 '응축된 내면의 분노'가 원인인 경우가 많습니다. 자기 자신 혹은 외부의 그 무엇에 대한 분노가 안으로 깊어지고 곪아터져서 더는 어떻게 해볼 수 없게 되어 우울에 빠지게 되는 것이지요.

겉으로는 무기력해 보이지만 우울에 빠진 알코올중독자는 터지기 일보 직전의 다이너마이트와 같습니다. 속에서는 이글거리는 분노가 넘실거리고 있어 터질 때만을 기다리고 있는 격이지요. 마치 폭풍전야의 고요함처럼 말입니다.

그 분노는 어디로부터 비롯된 것일까요? 그것은 대체로 자기 자신에 대한 자학적 분노에서 연유할 때가 많습니다. 미래를 바라보면 암담하기가 그지없고, 돌아보는 과거는 고통과 상처로 얼룩져 있어 끝없는 자책감과 후회를 불러오고, 현재의 나 또한 단주한다는 사실 이외에 아무것도 가진 것이 없다는 초라함과 비참함이 느껴지고… 그런 내가 싫어서, 그런 내가 너무도 밉고 싫어서 자학적 분노가 심령 깊숙이, 뼛속 깊숙이 침투해 들어가는 것입니다.

그러나 그것이 교만입니다! 오늘의 나를 있는 그대로 받아들이지 않는 것, 그것 자체가 교만입니다. 오늘의 나는 어제의 나의 결과일 뿐, 그 이상도 이하도 아닙니다. 어제의 내가 오늘의 나를 만들었습니다. 우리가 할 일은 그 모든 일들을 담담히 나의 것으로 받아들이는 것입니다. 받아들여야 할 것을 받아들이는 것이야말로 지혜이며 용기입니다.

술에 절어 살지 않아도 되는 현재를 즐기고, 맑은 정신으로 살아갈 미래를 꿈꾸며 살아갈 때 교만이 들어올 틈은 없어지는 법입니다. 있는 그대로의 자기를 용납하고 사랑하며 자족할 줄 아는 삶을 즐기게 될 때 우울은 우리를 떠나갑니다.

우울, 그것은 자족하지 못하는 교만의 또 다른 얼굴입니다.

죽음 같은 깊은 그늘, 우울

지난 주 오랜만에 옥천의 E형제님을 만났습니다. 현재 단주 6개월째에 접어든 형제님의 모습은 크게 상해 있었습니다. 형제님의 얼굴에는 우울의 짙은 그늘이 드리워져 있었습니다. 만나지 못한 지난 두 달간 참으로 힘든 시간들을 보냈다고 하셨습니다. 힘든 생활의 주범은 우울이었습니다. 많은 알코올중독자들이 회복의 과정에서 맞부딪히는 최대의 적 중의 하나는 '우울'입니다. 흔히들 이 우울을 '마음의 감기'라고 표현하기도 합니다. 그만큼 우울증이 현대인들에게 보편화 되어 있다는 것이겠지요. 그러나 회복 중인 알코올중독자들에게 우울은 재발(relapse)의 치명적인 요인이 됩니다. 물론 회복의 과정에서 재발 그 자체도 회복의 한 과정으로 인식되고 있기는 하지만, 한 번의 재발이 돌아올 수 없는 치명적인 타격이 될 수도 있기 때문에 우울의 문제는 결코 가벼이 볼 문제가 아닙니다.

온전한 단주생활에 들어서기 위해 우리 모두는 우울의 루비콘 강을 건너야 합니다. AA창시자인 빌(Bill)도 평생 우울을 달고 다녔다고 합니다.

우울이 오는 것을 막아야 합니다. 막을 수 없다면 그것과 함께 사는 법을 찾아야 합니다.

"하나님, 우울의 영이 우리 공동체를 틈타지 아니하도록 지켜주세요. E형제님이 우울의 그늘에서 벗어나 회복의 즐거움을 누릴 수 있도록 지켜주세요."

필feel이 꽂혔다

올해 라파치유공동체의 유행어 중 하나는 "필이 꽂혔다!"가 아닐까 싶습니다. S형제가 그런 표현을 종종 쓰고는 했었는데, 최근에는 K형제님이 그 표현을 쓰면서 제 입술을 통해서도 그 말이 자연스레 오르내리기 시작했습니다.

"필이 일단 한번 꽂히면 감당이 안돼유. 그 담에는 그냥 가서 다 때려 부순다니까유."

그렇게 폭력적이었다는 사실이 도무지 믿어지지 않을 만큼 K형제님은 유순한 분입니다. 대부분의 알코올중독자들이 술을 마시지 않을 때는 유순하기 이를 데가 없는 분들이지만 K형제님은 그런 형제님들 중에서도 유순하기가 단연 백미입니다. 그런 그도 일단 '필(feel)'이 한 번 꽂히면' 물불을 가리지 않고 폭력을 행사하는 두 얼굴의 사나이가 되고는 했답니다.

"지가 한 번 뜨면요, 온 동네에 경찰차가 뜨고 난리가 났어유."

그 유순함 뒤에는, 마음의 심연 깊숙한 곳에는, 일렁이는 분노가 똬리를 틀고 앉아 있습니다. 그 분노는 때를 기다립니다. 누군가에 대해, 무언가에 대해 '필이 꽂힐 때'를 말입니다. 한 번 꽂힌 필은 좀처럼 뽑히지 않습니다. 시간이 지나면 지날수록 그 필은 더욱 더 선명해집니다. 그리고 그 필에 따라 행동하기 시작합니다. 그 필이 꽂힌 대상이 없어질 때까지, 아니면 내 마음에 꽂힌 필이 뽑힐 때까지 그 행동은 계속됩니다. 그러면 그럴수록 내 마음에는 더 큰 분노가 쌓이고 내 안에 쌓인 분노는 더 큰 해일로 변해만 갑니다.

중독은 무엇엔가 강박적으로 집착하는 것입니다. 그래서 중독자의 사고나 감정 역시 누군가에, 무언가에 강박적으로 집착되기 쉽습니다. 필이 꽂혔다는 것은 누군가에 대해, 무언가에 대해 부정적인 사고와 감정을 갖게 되었다는 것을 말합니다. 많은 경우 그것은 과도한 흑백논리에 의한 것이거나 오해, 감정의 과잉에 따른 것일 때가 많습니다.

술 마시고 싶은 충동이 일면 마셔야 하듯이 필이 일단 꽂히면 저질러 놓고 보아야 합니다. 음주에 대한 충동이 들어오면 제어하기 어렵듯이 한 번 꽂힌 필을 다시 뽑아내기가 쉽지 않습니다.

K형제님이 누군가에게 꽂았던 미움의 필을 힘들게 다시 뽑아내고 있습니다. 그 필이 그를 음주로 이끌고 갈 것을 알기에 자기 방문을 밖에서 잠가 달라고 스스로 요청하기까지 하면서 그 필과 싸우며 자기를 다잡고 있습니다. 우리의 단주회복의 싸움은 그 필과의 싸움입니다. 그 필의 실체는 대부분 거짓된 것이고, 마귀들의 것일 때가 많습니다. 우리를 술로 이끄는 저 깊은 배후에 악마가 있습니다. 악마가 바라는 것은 우리의 파멸입니다.

그러므로 그 필과의 싸움은 영적인 싸움입니다. 우리가 누군가에게 꽂아야 할 필이 있다면 오직 사랑의 필일 뿐입니다.

오늘도 만나는 모든 사람들에게 사랑의 필을 꽂으며 살아가는 하루가 되고 싶습니다.

주님의 사랑을 전하는 자가 되고 싶습니다.

행복이 겨운 사람들

행복이 겨운 사람들이 있을까요? 국어사전에 보면 '겹다'에는 두 가지 뜻이 있습니다.

하나는 '정도에 지나쳐 감당하기 어렵다'라는 뜻으로 '힘에 겹다'와 같은 표현으로 사용됩니다. 다른 하나는 "어떤 감정이나 기분에 흠뻑 젖어 있다"는 뜻으로 '흥에 겹다'는 표현에 사용됩니다. 이렇듯 '겹다'라는 수식어는 부정적인 의미로 쓰일 때도 있고 긍정적인 의미로 쓰일 때도 있습니다.

단주 중인 알코올중독자들, 곧 회복 중인 알코올중독자들은 '행복에 겨운 사람들'입니다. 행복한 감정이나 기분에 흠뻑 취해 살아가는 사람들입니다. 전에는 알코올에 취해 불행한 삶을 살았지만 이제는 온전한 정신을 가지고 반듯하게 살아감으로 얻어지는 말할 수 없는 행복에 취해 살아갑니다.

그러나 그 반대의 경우도 있습니다. 어떤 회복자들은 '행복이 겨운 사람들'입니다. 단주함으로 자신 앞에 행복이 현실로 다가왔건만, 보란 듯이 사람 노릇 한 번 해보며 살아보리라는, 그렇게 꿈꾸어 왔던 일이 현실로 나타났건만 어떤 회복자들은 자신 앞에 현실로 다가온 이 행복을 오히려 힘겨워 합니다. 그래서 이들 중의 일부는 다가온 행복이 너무 겨워서 다시 중독의 자리로 돌아갑니다.

행복이 내게로 왔는데 아무래도 남의 옷을 입고 있는 것만 같은 느낌입니다. 내가 까딱 잘못하면 이 행복을 한순간에 날릴 수 있다는 불안이 늘 마음속을 떠나지 않습니다. 다가온 이 행복을 지켜나가야 한다는 강박이 머리를 떠나지 않습니다. 그래서 행복해야 할 단주생활이 또다시 긴장과 불안의 생활로 뒤바뀝니다.

그 때 술이 교묘히 구세주로 등장합니다.

"지금 긴장되어 있지? 앞날에 대한 염려가 너무 많지? 불안하지? 그럼 날 가져. 나를 마음껏 가지라구!"

술은 아리따운 여성의 유혹처럼 다가옵니다. 그 유혹에 자기 몸을 맡길 때 단주자의 행복은 끝이 납니다.

행복을 꿈꾸었지만 그 행복을 이룰 수 없어서 우리는 알코올중독자가 되었습니다. 엄청난 대가를 치르고, 인생의 바닥을 친 후에 우리는 다시 일어서 단주자의 대열에 동참하였습니다. 행복이 다시 내게로 왔습니다. 행복에 겨운 삶을 살면서 이것이 인생이라고 생각했습니다.

그러나 어느 순간부터 이 행복이 날아갈까 불안해지기 시작했습니다. 그 불안은 날이 갈수록 내 안에서 괴물처럼 커져만 갔습니다. 나 자신은 이런 행복을 누릴 권리가 없는 사람인 것 같은 생각이 시시때때로 엄습해 오기도 했습니다. 그 불안이 견딜 수 없어서, 그 긴장이 너무도 힘에 겨워서 어떤 회복자들은 다시 술을 선택합니다. 그리고 영원한 불안과 불행의 나락으로 떨어져 갑니다.

회복 중인 알코올중독자들은 '행복'도 잘 다루어야 합니다. 늘 깨어 있어 경계를 게을리 하지 말아야 합니다. '성취 불안'의 함정에 빠지지 않아야 합니다. 그래서 '행복에 겹고 겨운' 인생을 줄기차게 살아내야 합니다.

돌아온 형제님

세상에 '돌아오다'라는 단어처럼 소중하고 값진 단어가 또 있을까요? 알코올중독자들의 아내나 가족들은 천금을 주고도 살 수 없는 이 단어의 가치를 잘 이해할 것입니다.

J형제님이 '2년 만의 음주'에 길게 사로잡히지 않고 신속하게 단주의

길로 다시 '돌아'오셨습니다. 죽음의 길에서 벗어나 생명의 길로 돌아온 J형제님을 환영합니다. 고통과 괴로움의 늪에서 벗어나 행복과 희망의 길로 돌아온 형제님을 축복합니다. 수치심과 자괴감을 무릅쓰고 깨어진 단주, '2년 만의 음주사실'을 공표함으로써 '정직'의 가치가 무엇인지 보여주신 형제님께 감사합니다. 무력감과 자포자기의 심정을 훌훌 털고, 다시 일어선다는 것이 무엇인지, 진정한 용기가 무엇인지 보여주셔서 또한 감사합니다. 지난 열흘 동안 숨죽이고 가슴 졸이며, 형제님의 회복 과정을 지켜보며 기도해 온 라파의 형제, 자매님들 모두와 함께 이 기쁨을 나누고 싶습니다.

"다시는 알코올중독자라는 말조차 입에 담기도 싫더군요. '이왕 이렇게 된 거 앞으로는 중독자 아닌 보통사람으로 살아가자. 정상인처럼 살면 되지, 못할 건 뭔가' 이런 생각이 들더군요."

J형제님이 음주의 나락에 빠지자 이런 마음이 들었다고 하더군요. 그 말을 들으면서 제 온몸에는 쭈뼛하게 소름이 돋았습니다. '마귀다! 저건 마귀의 소리다! 단주자들을 유혹해서 영원한 음주의 늪으로 끌고 가려는 간교한 마귀의 속삭임이다!' 그런 생각이 들었습니다.

단주의 길은 끝없는 영적 전투의 길입니다. 우리 자신이 어쩔 수 없는 지독한 알코올중독자임을 고백하고 시인하게 될 때 우리는 단주를 지켜낼 수 있습니다. 마귀는 우리 귀에 와서 속삭입니다. "괜찮아. 너는 이제 정상인이나 다름없어. 조절해서 적당히 마시면 되잖아. 중독자라는 말이 지겹지도 않니?"

중독자의 자리를 지킬 때 우리는 단주할 수 있습니다. 그러나 중독자의 자리를 떠날 때 우리는 음주로 이끌립니다.

　중독자이기 때문에 우리는 정직해 질 수 있었고,
　중독자이기 때문에 우리는 겸손해 질 수 있었습니다.
　중독자이기 때문에 우리는 또한 하나님의 은혜 안에 거하게 되었습니다.
　그래서 우리는 이 자리를 떠날 수 없습니다.
　돌아온 J형제님이 영적인 성장과 성숙에 힘쓰시기를 간절히 바랍니다. 자기를 부인하고 제 십자가를 지고 날마다 주님의 십자가 길 오르는 주님의 사람이 되시기를 간절히 축원합니다.

가족, 가장 소중한 이름

　삼성전자의 휴먼 광고 시리즈 중심 주제는 가족입니다. 20~30년 전만 해도 TV는 가족과 가족을 하나되게 하는 휴먼 매체였습니다. 삼성전자 광고에서처럼 김일 선수의 레슬링을 온가족이 한자리에 모여 보면서 가족의 하나됨을 TV를 통해 느끼고, TV가 가족의 중심에 자리 잡고 있었던 적도 있었습니다.

　그러나 오늘날, TV가 가족의 하나됨을 가로막는 가장 커다란 적이 되어버린 지도 오래 된 것 같습니다. 아무 생각 없이 TV를 보다가 뿔뿔이 제 방으로 흩어져 가는 것이 현대 가정의 전형적인 모습, 대화를 잃어버린 가정의 모습이 아닐까 싶습니다.

　알코올중독은 가족병입니다. 가족 속에 그 병의 기원이 있다는 점에서 가족병이요, 가족들의 도움과 노력이 회복에 절대적으로 필요하다는 점에서 가족병입니다. 또한 가족의 회복이 중독 치유의 목표라는 점에서 가족병이라 할 수 있습니다.

알코올중독은 관계를 파괴하는 병입니다. 무엇보다도 먼저 가장 가깝고 가장 소중한 사람들과의 관계를 갈기갈기 찢어놓는 무서운 관계병입니다.

이번 주일 예배 중에 L형제님의 결혼 17주년을 기념하는 이벤트가 있었습니다. 단주 3개월! 맑은 정신을 갖고 돌아보는 인생 속에서 단 한 번도 결혼기념일을 축하하고 아내를 위로해 준 적도 없었음이 못내 마음에 걸린 형제님이 특별히 부탁해 마련한 자리였습니다.

아내의 순종과 남편의 사랑에 대한 하나님의 말씀이 선포되고, '완전한 사랑'의 찬송이 울려 퍼지며, 참된 새 언약이 맺어지는 자리였습니다.

"새 언약이라 말씀하셨으매 첫 것은 낡아지게 하신 것이니 낡아지고 쇠하는 것은 없어져 가는 것이니라"(히8:13)는 히브리서의 말씀을 인용하여 L형제님이 결혼 17주년에 대한 소회와 새로운 삶에 대한 소망을 만인 앞에서 밝혔습니다.

알코올중독으로 인한 지난날의 잘못된 삶에 대한 깊은 회개와 진실한 용서를 구하는 간절한 마음을 글로 적어서 아내에게 바쳤습니다.

모든 옛것이 낡아지고 쇠하여 가고
주님께서 허락하시는 새 언약의 삶이 시작되기를

우리 모두 한마음이 되어 빌었습니다.

멀리서 내려온 아내의 얼굴에 웃음꽃이 활짝 피었습니다.
L형제님이 단주회복의 길에서 꼭 승리해서 아내의 얼굴에 피어난 저
웃음꽃을 끝까지 지켜주었으면 좋겠습니다.

H형제님의 얼굴에서도 날마다 웃음꽃이 떠나지 않습니다. 멀리 떨
어져 있는 아내에게서 간간이 걸려오는 전화가 그를 살아 있게 하고, 즐
겁게 합니다. 지난날에는 전화가 즉시 이어지지 않으면 "당신 또 술 마
셨지?"하며 의심하던 아내가, 지금은 "무슨 일이야, 당신 어디 아파?"하
며 걱정을 해준다고 웃음을 짓습니다. "밥 꼬박꼬박 챙겨먹으라"는 아
내의 잔소리가 그렇게 정겹고 사랑스러울 수가 없다고 자랑입니다.

지난 날 술 마시던 아버지를 두려워하던 아들 녀석이 아빠 집에 놀러
가지 않겠느냐는 엄마의 제안에 "앗~싸!"하면서 좋아하더라고 또 자랑
입니다.

"앗~싸!"

최근에 들어본 가장 아름답고 감동적인 탄성 소리입니다.

회복 중인 모든 형제님들의 가정에 "앗~싸"의 탄성이 날마다 넘쳐나
기를 소망합니다.

가족! 가장 소중한 이름입니다.

내 노후에 없던 사람

"이이는 내 노후의 계획 속에는 없었어요. 내 평생에 이이가 술 끊은 모습을 볼 수 있으리라고는 생각지 못했어요. 단주하고 있는 남편을 보고 있는 것이 얼마나 감사한지 모르겠습니다. 더는 바랄 것이 없습니다."

지난 30일 단주파티 모임에서 E형제님의 부인이 남편의 단주 소감을 밝히면서 한 말입니다. 남편이 없는 노후를 그리며 살아가야 한다는 것이 아내에게 얼마나 큰 고통이며 아픔이었을까요? 알코올중독자의 아내로서 홀로 미래를 그려가며 살아야 했던 외로움과 적막감, 상실감과 공허감이 깊게 느껴졌습니다. 이혼을 꿈꾸고 있는 이 땅의 모든 알코올중독자 아내들의 비애감이 물씬 느껴졌습니다.

그러나 단주는 이 모든 비애를 단번에 날려 버렸습니다. 단주가 아내의 미래를 어둠 속에서 빛으로 건져 올렸습니다. 더는 바랄 것이 없는 행복을 아내에게 가져다 주었습니다.

단주! 그것은 비할 바 없는 아내사랑입니다.
단주! 그것은 있어야 할 자리에 내가 있게 해 줍니다.
나를 아내의 미래 노후 계획 속에 있게 합니다.

E형제님! 세상일에 대한 모든 염려와 걱정을 주님께 맡기고 단주의 삶을 즐기세요. 아내의 미소를 바라보시고 그것을 누리세요. 함께 웃으세요.

"E형제님에게 성령님을 보내 주시고, 단주하게 하시고, 금연하게 하신 하나님 감사합니다. 단주를 통하여 아내에게 새 희망을 일궈가게 하신 주님을 찬양합니다. 그 성령님께서 여전히 알코올중독의 늪에서 허덕이고 있는 E형제님의 동생에게도 임하여 주시옵소서. 하나님의 능력을 보여 주시옵소서."

내 오빠가 돌아 왔어요

알코올중독은 관계병입니다. 모든 인간관계를 파괴하는 무서운 질병입니다. 그는 더는 내가 알고 있던 그 오빠가 아니며 더는 그 아들이 아니며 더는 그 남편이 아닙니다. 술은 알코올중독자들에게 본래의 자기와는 너무도 다른 또 다른 자기를 만들어 줍니다. 오랜 세월의 음주는 알코올중독자들에게 진정한 자기가 누구인지조차 잊어버리게 만듭니다. 그래서 과거로 돌아가고 싶어도 돌아가야 할 자신의 모습이 무엇인지조차 알지 못하게 만듭니다. 술 마시고 있는 자기의 모습이 본래의 자기인 것처럼 착각하며 살아가기도 합니다.

중독의 치유란 이렇게 분열되고 혼란 속에 있는 자기상을 재정립하는 과정이라고 말할 수 있습니다. 거짓 나를 버리고 '참 나'를 찾아가는 과정인 것이지요. 그저 술만 마시지 않는 '깡'단주가 아니라 자신에 대한 깊은 성찰 속에서 진행되는 단주가 지속되면 될수록 거짓 나의 마스크는 서서히 벗겨져 나가고 '참 나'가 제 모습을 드러내기 시작합니다.

그것을 먼저 발견하는 것은 가족들입니다. 어제 K형제님이 단주 6개월 소감을 발표했습니다. 깊고 근원적인 변화를 경험하고 있는 형제님을 느낄 수 있었습니다.

지난주 가족모임에서 만났던 여동생이 "이제 우리 오빠 같애"라고 말했다지요. 잃어버렸던 오빠의 자리를 이제 다시 찾으셨군요. 단주 6개월의 선물치고는 과분한 선물을 받으셨더군요. 이 얼마나 감사한 일인지요. 나 아닌 나를 벗어 던지고 본래의 나로 돌아오고 계신 형제님을 축하합니다. 회복의 잔잔한 기쁨을 전해 주시는 가족들에게도 감사합니다. 한결같은 모습으로 라파를 방문해 주시는 어머님, 누님에게도 감사합니다.

"주님, 이 가정 위에 회복의 기쁨이 충만케 하여 주옵소서."

누가 천사를 독사로 만들었는가?

알코올중독은 더럽고 치사한 병입니다. 자기의 잘못을 인정하지 않고, 변명하고 합리화하고 그 책임을 다른 이에게 전가하는 더럽고 치사한 병입니다.

대개 아내들이 그 희생제물이 됩니다. 중독이 깊어지면 깊어질수록 아내들은 중독자들이 술 마시는 이유가 되고 원인이 되며, 그 빌미가 됩니다. 착한 아내들은 오랜 시간, 아마도 10년 이상은 정말 자기 때문에 남편이 술 마시는 줄 알고 이 모양, 저 모양으로 많은 노력을 시작합니다. 남편에게 빌미를 주지 않기 위해서 말이지요.

그러나 그 노력이 남편의 술버릇을 고치는 데 아무런 영향을 끼치지 못함을 발견하면서 아내들은 분노하게 되고, 좌절하게 되며, 절망하게 됩니다. 그리고 그들 안에도 서서히 독이 쌓여가기 시작합니다. 알코올 중독자들과 똑같이 아내들의 마음속에도 무기력의 독, 분노의 독, 좌절의 독, 절망의 독, 자기 연민의 독, 외로움과 고독의 독이 차곡차곡 쌓여 갑니다. 그리하여 독기가 바짝 오른 독사가 되어 갑니다. 누군가 걸리기만 하면 꽉 물어 독을 다 쏘아 버리고 싶은 충동으로 살아가게 됩니다. 어떤 이들은 그 독에 스스로 중독되어 시름시름 죽어가기도 하지요.

회복의 과정은 '발견의 과정'입니다. 자기 자신이 누구인지를 발견할 뿐만 아니라, 하나님이 누구신지, 내 아내와 가족은 어떤 사람들인지를 새롭게 발견해 가는 발견의 과정입니다.

요즈음 라파공동체에서는 가족을 재발견하고 아내를 재발견하는 즐거운 분위기에 휩싸여 있습니다. 지난날 그렇게 미워했던 아내, 그 사람 때문에 내가 이렇게 중독자가 되었다고 생각했던 그 아내를 재발견해가고 있습니다. 그리고 그들의 입에서 이런 고백이 흘러나오고 있습니다.

"내 아내는 정말 천사였습니다. 나 같은 중독자를 참아준 그녀는 정말 천사였습니다. 이 세상에 내 아내와 같은 사람은 없습니다. 그런 그녀를 독사로 만든 것은 나 자신입니다. 그런 그녀와의 관계를 지킬 수만 있다면 다시 회복하고 싶습니다."

중독은 옆의 사람도 중독시키는 못된 병입니다. 그러나 내가 회복자가 될 때 그 독을 해독시키는 해독의 능력이 내게 주어집니다. 그 해독제를 우리는 사랑이라고 부릅니다. 그 사랑의 능력으로 내가 해독되고, 나는 독사가 된 아내를 해독시킬 수 있습니다.

모든 형제님들이 천사인 아내들을 다시 되찾게 되기를 바랍니다. 그것이 형제님들을 우리 라파의 동산으로 불러주신 하나님의 뜻임을 확신합니다.

찬송할지어다. 회복케 하시는 하나님을!

사랑이 다시 오려나 봐요

H형제님에게 치유공동체를 통해 배운 가장 귀중한 것 한 가지를 꼽으라면 그는 '인내'를 꼽을 것 같습니다.

인내는 하나님의 선물입니다. 그것은 귀중한 성령의 열매입니다. 하나님은 우리에게 선물 주시기를 좋아하는 분입니다. 그 하나님께서 H형제님에게 인내의 선물을 주시더니 이제 그 인내함으로 말미암아 가족 관계가 회복되는 더 큰 선물을 주셨습니다.

"나 그동안 살 쪘는데…"

최근 들어본 말들 중에 이만큼 달콤한 사랑의 밀어를 들어본 적이 없습니다. H형제님에게 새로운 사랑이 이제, 다시 시작되려나 봅니다.

단주 2년 4개월만에 걸려온 애들 엄마의 전화였습니다. 가족들과 헤어진 때로부터 4년의 시간도 더 지났습니다. "정말 술 안 마시는 거지?"라는 의구심으로 시작된 통화가, 언제 한번 만나자는 약속으로 이어지더니 "나 그동안 살 쪘는데…"라는 수줍은 고백으로 이어졌습니다.

H형제님의 자매님이 아이들과 함께 저희 공동체를 방문할 날이 그

리 많이 남은 것 같지 않습니다. 기억하고 있는 지난날의 모습보다 조금은 더 살찐 아내를 H형제님이 만나게 될 것만 같습니다.

한때 사랑했던 그 남자를 다시 만나기 위해 거울 앞에서 살찐 몸매를 가리려고 이 옷 저 옷을 고르고 있을 자매님의 모습이 눈에 삼삼히 그려지기도 합니다. 사랑이 이제 다시 오려나 봅니다.

살이 조금 더 쪘으면 어떻습니까? 대한민국의 아줌만데요. 그리고 그것은 지독한 알코올중독자 남편을 둔 한 여인이 자기 몸을 돌볼 새도 없이 남겨진 두 자녀를 남부끄럽지 않게 홀로 고생하며 키운 자랑스러운 흔적일 것인데요.

H형제님과 아내가 주님 안에서 새로운 사랑을 시작했으면 좋겠습니다. 이 세상에서 가장 아름다운 회복의 가정을 꾸려 갔으면 좋겠습니다.

자매님, 부끄러운 새악시의 마음을 품고 어서 오세요. 정말 이이가 변했을까, 얼마나 변했을까? 새콩새콩 기대를 가지고 어서 오세요. 오셔서, 하나님이 얼마나 위대한 분이신가를 한번 보세요. 자매님을 위해 예비된 하나님의 축복을 마음껏 맛보세요.

아들에게 물려줄 수 없기에

H형제님이 그 큰 덩치를 제 품에 묻고 엉엉 울었습니다. 죽을 때까지, 무덤까지 가지고 가려 했던 아픈 비밀을 토설한 후에 말입니다.

"이건 목사님만 아셔야 합니다. 이 말을 안 하고는 제가 도저히 힘들어서 살 수가 없을 것 같아 말씀드립니다. 꼭 목사님만 아셔야 합니다."

한편으로 바짝 긴장되기도 했습니다. 중대한 범죄사실, 특히 현행법에 저촉되는 일들을 이야기하면 어떡하나 하는 긴장 말입니다. 그러나 그런 일들은 경험상 거의 일어나지 않았기에 느긋하게 마음을 고쳐먹고 H형제님의 이야기를 기다렸습니다. 고통으로 일그러진 얼굴로 H형제님이 말문을 열었습니다.

"목사님, 제가 4년 전에 어린 우리 아들 목에 식칼을 들이대고 죽여버리겠다고 한 적이 있습니다. 저는 인간도 아니었습니다. 어찌 그런 일을 했는지 저도 모르겠습니다. 사실 저는 그 일에 대한 기억도 없습니다. 술이 깬 후에 나중에 마누라가 말해 줘서 알게 됐습니다. 그런데 그 이야기를 들은 이후부터 그 일에 대한 죄책감이 제 마음을 떠나지 않습니다. 저는 어떡하면 좋습니까?"

무덤까지 가지고 가려 했던 비밀을 털어놓으면서 H형제님은 엉엉 울었습니다. 저는 그저 제 품을 그에게 빌려 주었고 그는 제 품에 안겨 더욱 소리 내어 울었습니다.

몇 년 전, S형제님도 동일한 방식으로 무덤까지 가지고 가려 했던 비밀을 털어놓은 적이 있습니다. 그도 술을 마신 상태에서 소주병으로 아들의 머리를 내려 친 적이 있다고 했습니다. 그 죄를 어떡해야 갚을 수 있는지, 그 아들이 자기를 죽이려고 하는 꿈을 너무 자주 꾼다고 했습니다.

K형제님도 술 마신 상태에서 두 아들을 옆구리에 끼고 아파트에서

뛰어내리겠다고 난리를 피운 적이 있다고 고백합니다. 씻어버리고 싶지만 씻어지지 않는 고통스런 기억이라고 말이지요.

　중독자들이 아들을 심하게 대하는 경우가 종종 있습니다. 그것은 자기 자신에 대한 부정적 자아상을 아들들에게 투사하기 때문인 경우가 많습니다. '너만은 나처럼 되지 말아야 한다'는 무의식적 갈구가 그런 폭력적 상황으로 연출되는 것입니다. 나처럼 되지 않으려면 반듯하게 살아야 하는데 아들들의 모습에서 뭔가 부족한 면, 자기 마음에 들지 않는 면을 발견하게 될 때 그것을 마음에 담아 두고 있다가 술을 마신 후에 폭력적으로 풀어버리는 것입니다. 아들이 나처럼 될까 두려워하고 그 두려움이 폭력이 되어 '너만은 나처럼 되지 말라'고 처절한 외침을 발하는 것입니다.

　아들들아 너희들만은 나처럼 되지 말아 다오!
　그 간절한 바람을 이루는 유일한 길은 오직 하나입니다.
　단주! 그리고 단주한 가운데 아들들에게 보내는 용서의 메시지!
　"미안하다. 아빠가 잘못했다. 아빠를 용서해 다오."

　단주 2년 6개월이 되던 날 H형제님이 많은 사람이 지켜보는 가운데 아들 앞에서 무릎을 꿇었습니다. 그리고 용서를 빌었습니다. 가계에 흐르던 저주가 끊어지는 순간이었습니다.

산 자에게 보내온 미역

엊그저께 K형제님의 여동생으로부터 미역이 배달되었습니다. 강원도로 시집간 여동생의 시아버님이 배타고 나아가 걷어 온 미역이라고 합니다. 아닌게 아니라 미역국을 끓여 먹어보니 양식한 미역보다 더욱 싱그럽고 생기 있는 것 같아서 좋았습니다.

어제 오후에 기도하다가 그 미역이 먹을 것 이상의 소중한 선물이라는 생각이 들었습니다.

"내 오빠는 죽었습니다. 나는 오빠가 죽었다고 생각하며 삽니다. 나에게는 오빠가 없습니다."

서너 달 전에 K형제님의 여동생이 상담 중에 오빠에 대해 한 말입니다.

알코올중독자는 죽은 사람들입니다. 육신은 살아 있으나 영이 죽고, 정신이 죽고, 인격이 죽은 사람들입니다. '죽은 것 같은' 인생이 아니라 실제로 '죽은 인생'입니다.

그 죽었던 오빠가 이제 다시 살아났습니다. 회복자는 산 사람입니다. 미역은 산 사람이 먹는 것입니다.

죽은 소녀를 살리신 후 예수님께서 말씀하셨습니다.

"먹을 것을 주어라."

먹을 것은 산 자에게 필요한 것입니다. 죽은 자에게는 먹을 것이 더는 필요치 않습니다.

하나님은 죽은 자의 하나님이 아니라 산 자의 하나님이시라 막10:27

우리를 불러서 회복케 하시고 산 자가 되게 하신 하나님을 찬양합니다.

2부 치유

치유·회복·변화

모든 병든 것과 약한 것

모든 병든 것과 약한 것을 고치셨더라 마4:23, 9:35

예수님은 이 땅에 오셔서 모든 병든 자들을 고쳐 주셨습니다. 뿐만 아니라 모든 약한 자들도 고쳐 주셨습니다. 병든 자들을 고쳐주셔서 건강한 자들이 되게 하셨고, 약한 자들을 고쳐서 강한 자들이 되게 하셨습니다. 주님은 약자들을 나무라지 않으셨습니다. 오히려 그들의 약함을 고쳐주셨습니다. 예수님에게는 약함이 치료의 대상이었습니다.

알코올중독은 병입니다. 그리고 그것은 사람의 약한 내면에서 기인하는 병입니다. 성정이 독하고 야무진 사람들은 웬만해선 중독에 걸리지 않습니다. 내면이 여리고 약한 사람들이 중독에 쉽게 걸립니다. 얼마나 많은 중독자들이 가녀린 영혼을 가지고 있는지요. 많은 알코올중독자들이 마시지 않을 때는 '법 없이도 살 사람'이라는 좋은 평판을 얻었습니다. 그러나 그것은 그가 주변의 요구에 "NO"라고 말할 수 있는 능력이 결여되어 있는 사람이라는 것을 의미하며, '자기 주장성'이 결여된 사람이라는 것을 의미합니다. 그들의 연약함은 이렇게 해서 자기를 온전히 세우지 못하는 병이 되는 것입니다.

가녀린 영혼을 가진 사람이 중독자가 되어 마시게 되면 그는 전혀 다른 사람으로 돌변합니다. 그는 거만해지기 일쑤고 파괴자와 폭력자로 돌변합니다. 연약한 내면 안에 불만과 분노를 억압해 두었다가 술의 힘을 빌려 그것을 분출해 냅니다. 연약한 자기를 받아들이고 싶지 않은 것입니다. 연약한 자기가 싫은 것입니다. 그래서 술의 힘을 빌려 전혀 다른 자기로의 변신을 끝없이 시도하는 것입니다.

알코올중독자의 연약함은 치유되어야 합니다. 예수님도 모든 약함을 치유하여 주셨습니다. 그 약함을 치유하는 가장 좋은 방법은 그것을 드러내는 일입니다. 더는 감추지 않는 것입니다. 연약함을 나의 것으로 받아들이는 것입니다. 내 모습 그대로 살아가는 것입니다. 내 모습 그대로 주님께 나아가는 것입니다.

오늘 L형제님과의 개인 상담 시간에 '참회록'을 적어보라고 권면했습니다. 글이 힘들다고 해서 글이 아니어도 좋으니 번호를 매겨 가면서 술로 인해 겪었던 모든 아픔들, 숨기고 싶었던 이야기들, 차마 수치스러워 아무에게도 말 못했던 것들을 적어보라고 했습니다. 그것은 우리 안에 있는 죄와 악에 대한 고발이자 회개의 시작이지만 다른 한편, 그것은 치유되어야 하는 우리의 약함을 반영하는 것이기 때문입니다.

중독의 치유! 그것은 분명 죄와 악의 치유입니다.

그러나 그것은 또한 약함의 치유이기도 합니다.

약함을 치유하는 가장 좋은 방법은 그것을 드러내 놓고 고백하는 것입니다.

라파공동체는 바로 고백공동체입니다!

네가 아니라 내가 변하는 것

"전에는 세상이 변해야 한다고 생각했습니다. 그러나 라파공동체에 와서 단주하면서 가만히 생각해 보니 변해야 하는 것은 세상이 아니라 바로 나 자신이었음을 알게 되었습니다."

K형제님이 단주 2개월의 소감을 밝히면서 한 말입니다. 전에 술 마실 때는 세상이 문제였고, 세상이 변해야 한다고 생각했었는데, 세상이 나에게 맞춰져야 한다고 생각했었는데 그것이 잘못된 생각이었음을 깨닫게 되었다는 것입니다.

변해야 하는 것은 세상이 아니라 바로 나 자신입니다.

세상이 문제가 아니라 바로 나 자신이 문제입니다.

오늘 아침 새벽묵상 시간에도 P형제님이 똑같은 말을 했습니다.

"내가 여기에 온 이유는 나를 변화시키기 위해서입니다"라고요.

'너'를 변화시키기 위해서가 아니라 '나'를 변화시키기 위해 우리는 여기에 있는 것입니다. 알코올중독으로부터의 치유는 남을 가리켰던 손가락을 자신을 향해 돌림으로써 시작됩니다.

내가 세상을 바꾸고 남을 바꿀 수는 없지만 나 자신을 바꿀 수는 있습니다. 나의 변화는 전적으로 나의 책임일 뿐 그 누구의 책임도 아닙니다. 나는 나에 대해서 책임이 있습니다.

주님께서 그 변화를 이루어 주실 것입니다.

공동체가 그 변화를 위한 통로가 될 것입니다.

가면 쓰기 그리고 벗기

사람 혹은 인격을 뜻하는 영어 단어 person은 라틴어 페르조나(per-sona)에서 유래한 것입니다. 페르조나는 연극에서 사용하던 가면을 뜻하는 것이었습니다. 사람들은 살다보면 어느 정도 가면을 쓰고 살아가기 마련입니다. 어떤 이는 자기 안에 있는 열등감, 약점을 가리기 위해 허장성세의 가면을 쓰기도 하고 어떤 이는 자기의 마음이나 감정을 상대방에게 읽히지 않기 위해 가면을 쓰기도 합니다.

또 어떤 때는 상대방의 유익을 위해 가면을 쓰기도 합니다. 누군가 너무 좋은 일이 있어서 기분이 날아갈 듯한데 장례식에 참석해야 한다면 그는 짐짓 슬픔의 가면을 쓰고 그 자리에 참석해야 합니다.

이렇듯 우리 인격 안에는 가면의 요소가 들어 있습니다. 어떤 때는 가면을 쓰지 않은 본래의 모습을 드러내며 살아갈 때도 있지만 어떤 때는 가면을 쓰고 자기의 본심을 감추어가며 살아야 할 때가 있습니다. 가면을 쓸 때와 가면을 벗을 때를 잘 구별해서 사용할 줄 안다면 그는 인격자라 말할 수 있습니다. 그의 인격이 주변의 정황이나 주위의 사람들에게 적절히 반응함으로써 조화로운 삶을 살아갈 수 있는 인격을 갖추게 되는 것이지요.

중독은 이 조화로운 삶의 능력을 잃어버린 병입니다. 가면을 벗어야 할 때 쓰고, 써야 할 때 벗어버린다면 그 인생은 참으로 거짓된 것이 되고 공허한 것이 될 수밖에 없습니다.

중독자들은 가면을 겹겹이 덮어 쓰고 있는 경우가 많습니다. 그래서 자기 자신도 자기가 누구인지 모르고, 주위의 사람들도 그가 누구인지 잘 알지 못합니다.

그러므로 중독의 치료란 이 겹겹이 쌓인 가면을 하나하나 벗겨내 자기의 참 얼굴을 찾아내는 과정입니다. 자기의 본 얼굴이 드러나는 것이 싫어서 가면을 써왔는데 이제 다시 그 가면을 벗어 내야 하니 그 과정이 결코 녹록치가 않습니다.

또 어떤 이들은 치유의 과정에서 적절히 가면을 쓰는 법을 배워야 합니다. 정황에 맞게 적절히 가면을 쓰는 것은 성숙한 인격의 지표입니다. 때론 내 마음의 생각과 감정을 잘 다스려 상대방의 유익을 위해 밖으로 드러내지 않아야 할 때도 있는 법입니다.

K형제님이 어제 오랜만에 모친을 만나고 왔습니다. 편안한 마음으로 잘 대해 드려야겠다고 다짐을 하고 갔는데 결국 투정만 부리고 심술만 부리다 돌아왔답니다. 오랫동안 중독에 빠져 자식의 도리를 다하지 못한 자기 자신에 대한 분노와 죄책감이 그렇게 나타난 것입니다. 성숙한 가면을 쓰려면 아직 시간이 더 필요한가 봅니다.

S형제님과 개인 상담을 하면서 공동체 생활 속에서 가면을 더 써보라고 권했습니다. 내면의 감정이 얼굴에 바로 바로 나타남으로써 다른 동료들이 곁에 쉽게 다가오지 못하는 것 같아서였습니다.

가면을 써야 할 때 쓰고
벗어야 할 때 벗을 줄 아는 인격의 성숙을 향하여
우리는 더 나아가야 합니다.

가장 좋은 치료방법

알코올중독을 치유하기 위해서는 심리상담 치료 이론에 대해서 잘 알아야 합니다. 심리상담 치료의 대상은 사람입니다. 따라서 그 사람을 어떻게 보느냐에 따라 그 사람을 치료하는 방법도 달라집니다. 심리상담 차원에서 치료는 사고할 줄 알고 감정을 가지고 있으며 행동하는 존재로서의 인간에 초점이 놓여 있습니다. 알코올중독의 치유라는 것도 사고를 바꾸고 감정을 바르게 다스릴 줄 알며 바른 행동을 하도록 그 사람을 변화시키는 것이라고 말 할 수 있습니다.

사고와 감정, 행동을 변화시키기 위한 치료방법으로는 정신분석학파의 치료, 아들러학파의 치료, 실존치료, 형태치료, 인간중심치료, 행동치료, 교류분석 치료, 인지행동치료, 현실치료, 해결중심치료 등 많은 이론과 방법들이 있습니다. 어떤 방법은 무의식의 비밀을 푸는 데 중점을 두고 있고, 어떤 방법은 그 사람의 사고를 변화시키는 데 초점을 두고 있습니다. 또 어떤 것은 사람의 감정체계를 변화시키거나 문제 행동을 수정하는 데 초점을 두고 있습니다. 이 가운데 어떤 하나의 방법만이 절대적으로 옳다고 말할 수 없습니다. 또 어떤 방법이 더 효과적이라고 말할 수도 없습니다. 다만 그것은 내담자 개인의 특성에 따라 달라지는 것입니다.

그러나 오직 하나! 변치 않는 절대적 치료방법이 있습니다.
그것은 가장 좋은 치료방법입니다.
그 치료방법의 이름은 '사랑치료'입니다.

인간은 어지간해서는 변하지 않습니다. 고착화된 습관을 가지고 있는 중독자들이 변화하기는 더더욱 어렵습니다. 그러나 사랑받을 때 중독자들은 변하기 시작합니다. 사랑이 변화의 동기를 부여합니다. 받은 사랑이 변화의 에너지가 되고 동력이 됩니다. 사랑 때문에 살아야 할 이유를 발견합니다.

그 사랑은 완전해야 합니다.
그 사랑은 무조건적이어야 합니다.
그 사랑은 절대적이어야 합니다.

인간 중에 이와 같은 사랑을 할 줄 아는 사람은 아무도 없습니다. 우리는 다 양 같아서 그릇 행하여 각기 제 길로 걸을 줄만 아는 이기심 가득한 죄인들이기 때문입니다.
사랑이신 하나님만이 그 욕구를 채워주실 수 있습니다.
자기 몸을 다 내어주신 십자가의 사랑만이 그들을 변화시킬 수 있습니다.
알코올중독 치유에 하나님이 절대적으로 필요한 이유가 여기에 있습니다.

우리가 아직 죄인 되었을 때에 그리스도께서 우리를 위하여 죽으심으로 하나님께서 우리에게 대한 자기의 사랑을 확증하셨느니라 롬5:8

확증된 사랑이 모든 심리상담 치료 방법에 우선할 때 온전한 치유가 일어납니다.

굴욕이 겸손이다

중독으로부터의 회복에서 가장 중요한 덕목을 꼽으라면 그것은 아마도 겸손일 것입니다. 왜냐하면 중독은 바로 사람들의 교만에 그 뿌리를 둔 병이기 때문에 그렇습니다.

교만은 내가 최고라는 지나친 우월감의 반영일 수도 있고, 나는 반드시 최고가 되어야만 한다는 강박의 발로일 수도 있으며, 내면 깊숙한 곳에 자리 잡은 열등감을 해소하려는 방어기제일 수도 있습니다. 가장 교묘한 형태의 교만은 자기가 피해자이고, 자기는 선한 사람이라고 착각하는 것으로부터 비롯되기도 합니다.

많은 사람들이 저 사람은 술만 안 마시면 법 없이도 살 사람이라고 했던 말들이 자기가 괜찮은 사람인 줄로 착각하는 경우가 많이 있습니다. 그러나 술 안 마실 때 그들의 속이 결코 선한 것으로만 가득 채워져 있던 것은 아닙니다. 단지 술만 마시고 있지 않을 뿐, 그들의 속마음은 미움, 시기, 질투, 원망, 분노 등으로 가득 채워져 있었던 경우가 많이 있었습니다.

그러했기에 그런 부정적 감정들을 평소에 쌓아두고 있다가 술을 마시고 그것을 폭발시켜 버리곤 했던 것이지요.

중독자들의 교만은 근본적으로 하나님 없이 살려고 하는 반하나님적 자기중심주의의 발로입니다.

"하나님을 믿느니 내 주먹을 믿어라"는 대부분의 혈기방장했던 중독자들이 사용했던 자기 현시용 구호였습니다.

굴욕감을 느끼거나 무시감을 느끼는 것을 좋아하는 사람은 아마 없을 것입니다. 그것은 중독자들에게도 마찬가지입니다. 중독자들이 가장 싫어하는 감정, 그들을 극도로 격노케 하는 부정적 감정은 아마도 이러한 굴욕감과 무시감일 것입니다.

그러나 문제는 그들이 느끼는 굴욕감과 무시감이 정당한 것이 아니라는 점에 있습니다. 굴욕감을 느낄 만한 상황이 아닌데도 굴욕감을 느끼고, 무시감을 느낄 만한 상황이 아닌데도 무시감을 느끼는 것, 그것이 문제입니다.

그러므로 중독치유의 현실에서 겸손하라는 요구는 "굴욕감을 참아라"라는 요구로 대치될 필요가 있습니다. 중독자들이 느끼는 다양한 형태의 굴욕감들은 사실은 그 자신에 대한 주위 사람들의 정당한 요구로부터 나온 것일 경우가 매우 많기 때문입니다.

영어의 humble에는 '겸손한'이라는 뜻 이외에 '비천한'이라는 뜻이 있습니다. 여기에서 겸손이란 의미의 humility와 굴욕이란 의미의 humiliation이란 단어가 파생되었습니다.

알코올중독으로부터 회복되는 길에서 겸손하다는 것은 굴욕감을 참는다는 것을 의미합니다. 그것은 고상한 차원의 교양 있는 겸손이라기보다 내장을 쥐어짜고, 온갖 분노를 가슴 속에서 삭혀야 하고, 이를 악물고 참아야 하는, 도저히 참을 수 없는 굴욕감을 참고 인내하는 것이라는 말씀입니다.

그 굴욕의 시간이 지나고 나면
그것은 더는 굴욕이 아니라
그의 인격을 연단시키시려 한
하나님의 놀라운 축복임을 깨닫게 될 것입니다.
얼마나 많은 형제님들이 이 굴욕감의 장벽을 넘지 못하고 재발의 길로 쓰러져 갔는지요….

굴욕을 넘어야 겸손이 옵니다.

맨틀 밑을 흐르는 마그마

라파공동체의 유력한 치유수단의 하나는 '영화'입니다. 영화를 보고 느낀 점을 이야기 하면서 저마다의 내면을 들여다보는 것이지요. 매주 목요일 우리는 영화테라피 시간을 갖습니다. 일주일에 한 편씩 일 년에 약 40여 편의 준비된 영화를 보고 소감을 나누며 심리치료를 병행합니다.

이번 주 영화는 「굿 윌 헌팅」이었습니다. 맷 데이먼과 로빈 윌리엄스가 주연한 영화로 1998년에 만들어진 상담치료분야의 수작이라고 할 수 있습니다. 여러 형제님들이 이 영화를 통해 큰 도움을 받은 바 있지요.

이번 주 영화테라피 시간도 예외는 아니었습니다. 영화 소감을 나누기 시작할 때만 해도 그리 큰 격정의 바람이 불어올지 예측할 수는 없었습니다. 그러나 그 영화 속 주인공의 처지와 그의 내면을 깊이 있게 분

석하고 토론하는 과정 중에 형제님들의 마음에 서서히 격랑이 일기 시
작하였습니다. 대화가 영화의 클라이막스로 옮겨가면서 마침내 J형제
님이 속깊이 감추어두었던 아버지에 대한 분노를 표출하기 시작하였습
니다.

영화 속에서 멧 데이먼은 내담자로, 로빈 윌리엄스는 상담가로 나옵
니다. 이 두 사람의 공통점은 서로가 아버지로부터 학대받은 영혼이었
다는 점에 있습니다. 영화 속에서 두 사람이 서로의 상처를 확인하면서
이런 대화를 나눕니다. "너는 아버지로부터 폭행을 당할 때 어떤 도구
로 맞았냐? 몽키 스패너와 체인 중에서 맞아야 할 도구를 고르라면 너
는 뭘 고르겠냐?"

뭐 이런 류의 대화를 나눕니다. 그런 대화를 통해 두 사람은 서로에
대한 깊은 연민을 느끼고 서로 부둥켜 안으며 깊은 포옹을 나눕니다. 자
기의 품에서 흐느끼는 멧 데이먼에게 로빈 윌리엄스가 부드럽게 말합
니다. "네 잘못이 아니야, 네 잘못이 아니야." 그 말을 통해 멧 데이먼은
자기를 묶어 두고 있던 죄책감의 사슬로부터 벗어납니다. 거짓 자기를
깨어부수고 참 자기를 찾게 됩니다. 천재적 능력을 가지고 있던 멧 데이
먼이 자기의 능력을 감추고 열등감으로 똘똘 뭉쳐 자기보다 못한 사람
들과 어울리며 세상을 시니컬한 눈으로 냉소하고 조소하며 바라보았던
것은, 사랑하는 여인을 앞에 두고 그녀 앞에서 철수할 수밖에 없었던 것
은 그가 참 자기가 아닌 거짓 자기로 살아왔기 때문인 것을 깨닫게 됩니
다.

그 이야기를 나누는 와중에 J형제님이 느닷없이 그의 아버지에 대한

격렬한 분노의 감정을 표출하기 시작했습니다.

"아니 도대체 우리 아버지는 왜 그런 겁니까? 왜 어린애를 그렇게 팬 거에요. 아니 싸워서 이기고 들어와도 패고, 싸워 지고 왔다고 패고, 날 더러 도대체 어떻게 하란 겁니까? 내가 동네 애들하고 싸울 때 어떻게 싸웠는지 아세요. 나는 먼저 돌멩이부터 찾습니다. 그리고 돌멩이가 손에 쥐어지면 그놈의 머리채를 휘어잡습니다. 내가 이렇게 체구는 작아도 일단 한번 내 손에 머리채가 잡히면 아무도 떼어놓을 수 없었다구요. 그리고 머리가 부숴지라고 돌멩이를 휘두르지요. 피가 철철 흘러도 상관없어요. 내가 그렇게 싸웠다구요."

그렇게 말하는 J형제님의 눈에서 굵은 눈물이 주르르 흘러 내립니다. 맨틀 밑을 흐르던 마그마가 화산이 되어 분출하듯이 그의 내면 깊숙이 감추어졌던 분노의 용암이 격정과 함께 분출되기 시작합니다. 그 아버지가 돌아가신 지 이미 여러 해가 흘렀지만 말입니다.

"아무도 모를 거에요. 지난 수십 년간 내가 무슨 생각을 하고 살아왔는지. 우리 어머니도, 내 동생들도 모를 거에요. 그저 날더러 불쌍하다고만 하지 정작 내 속에 무엇이 있는지는 아무도 모를 거에요."
눈물에는 능력이 있습니다. 그 눈물이 그의 격정을 잠재웁니다. 그의 마음을 정화시킵니다.
이제 격정의 시간이 지나가고 폭풍은 잦아집니다. 후하고 한숨을 내

쉬며 J형제님이 이렇게 말합니다.

"나도 내 속에 이런 분노 덩어리가 있는 줄 몰랐습니다. 이 불덩어리가 다 없어지기 전에 결코 단주할 수 없음도 오늘 분명히 알았습니다. 술이 문제가 아니라 제 속에 있는 이 불덩어리들을 다 없애야 제대로 살수 있음을 알았습니다. 여기가 아니라면 내가 이런 것을 어떻게 알 수 있었겠습니까? 나를 이리로 불러 주신 하나님께 그저 감사합니다."

평화로 위장되었던 분노 덩어리들이 이제 그 본체를 드러내고 있습니다. 그리고 은혜 안에서 그것들이 조금씩 조금씩 씻겨 나가고 있습니다. 사랑의 주님께서 그의 안과 밖을 깨끗이 하여 주실 것입니다. 감추인 것이 다 드러나게 될 것입니다. 나도 모르던 내가 내 안에 있음이 다 드러나고 난 후에 J형제님은 진정한 자기를 찾게 될 것입니다.

그것이 바로 치유입니다!

단주는 철학이다

단주는 철학입니다. 심오한 철학입니다. 모든 알코올중독자들은 철학자들입니다. 중독자들이 마시고 있을 때 그들은 '개똥철학자'들이었습니다. 그러나 회복 중인 알코올중독자는 인간 실존의 깊이를 아는 심오한 철학자가 됩니다. '개똥철학자'일 때 중독자들은 세상을 농단하고 세상을 우습게 알았습니다. 세상을 농단하는 그 농단으로 자기를 농단하였고, 세상을 우습게 아는 그 심정으로 자기를 우습게 알았습니다.

'개똥철학'이 우리들에게 가져다 준 것은 망가진 육신과 피폐한 영혼이었습니다. 나중에 그 개똥철학은 비현실적인 망상이 되었습니다.

그러나 회복 중인 알코올중독자들은 심오한 실천철학자들입니다. 철학하는 사람들은 인생의 행복에 대해서 탐구하는 사람들입니다. 철학하는 사람들은 삶의 의미, 인생의 의미에 대해서 탐구하는 사람들입니다. 철학하는 사람들은 생과 사에 대해서 탐구하는 사람들입니다. 실천철학자들은 자기가 믿고 확신하는 바를 삶 속에서 실천하는 사람들입니다.

회복 중인 알코올중독자들은 단주가 행복임을 아는 사람들입니다. 그들은 행복합니다. 회복중인 알코올중독자들은 단주가 삶의 의미요, 인생의 의미임을 알고 있는 사람들입니다. 그들은 인생의 의미를 추구하기 위해 단주하며 단주함으로 인생이 점점 더 의미 있어집니다. 인생이 의미 있어질 뿐만 아니라 존재 자체가 점점 더 의미 있는 존재로 변해 갑니다. 회복 중인 알코올중독자들은 생과 사의 길에서 생을 선택하고 생을 구가하는 사람들입니다. 마시고 있을 때 우리들은 이미 죽은 사람들이었습니다. 그러나 단주함으로 우리는 산 사람들이 되었습니다. 회복 중인 알코올중독자들은 관념과 사변을 주절거리지 않습니다. 그들은 그들에게 주어진 한 번밖에 없는 인생을 참으로 진중하게, 소중하게 생각합니다. 그들은 말로가 아닌 행동으로 단주합니다. 그들은 관념적인 세상에 사는 것이 아니라 실천적인 단주의 삶 속에 뿌리를 내리고 살아갑니다.

회복 중인 중독자들은 정직을 실천합니다. 겸손을 실천합니다. 주어진 삶에 자족합니다. 주님의 뜻에 순종합니다. 영적, 정신적, 육체적 순결을 실천합니다. 인내를 실천합니다. 그러한 실천을 통해 단주는 오늘 나의 기쁨이 되며 행복이 됩니다.

라파공동체의 회복에 이르는 6대 덕목은 정직, 겸손, 순종, 자족, 순결, 인내입니다.

돈, 단주의 장애물

단주의 과정은 투쟁의 과정입니다. 그리고 그 투쟁은 영원히, 죽을 때까지 계속됩니다. 그 투쟁의 대상은 술이 아닙니다. 술하고 싸워 이길 수 있는 중독자는 아무도 없습니다. 알코올중독자들은 술하고 싸워 백전백패를 당할 수밖에 없는 사람입니다. 술과 싸워 이길 수 있는 사람은 알코올중독자가 아닙니다.

알코올중독자들은 술과 싸워 이길 수 없기 때문에 단주의 길을 선택합니다. 단주하고 있는 회복자들은 술에 대해서 무조건적인 항복을 선언한 사람들입니다. 술의 불가항력적인 위력과 마술적 능력 앞에서 앞발 뒷발 다 든 사람들입니다. 회복의 길은 거기에서 시작됩니다.

영원한 단주를 위협하는 강력한 큰 적이 있습니다. 그것은 돈입니다. 많은 중독자들이 자기 수중에 돈이 없으면 불안해 합니다. 돈을 누군가에게 맡겨 놓게 되면 좌불안석 어쩔 줄 몰라 합니다. 돈을 내 손에 꼭 쥐고 있어야 안심이 됩니다. 왜 그럴까요? 이유는 간단합니다. 돈이 있어야 언제든지 술을 마실 수 있기 때문입니다. 술 마실 수 있다는 가능성을 돈을 통해 확보해야지 안심이 됩니다. 그렇지 않으면 불안이 엄습합니다. 돈은 곧 술인 것입니다.

　중독자들이 맡겨 놓은 돈을 달라고 할 때는 술 충동이 들어오기 시작하는 때일 경우가 많습니다. 맡겨 놓은 돈을 돌려 받아 자기가 소유하려고 하는 형제님들에게는 그것이 술 충동에 의해, 술 마시기 위한 사전 의식(ritual)은 아닌지를 확인하게 됩니다. 혹간, 그러한 과정을 통해 자기 안에 있는 무의식적 술 충동을 발견하고 돈을 소유하려는 욕구를 내려놓는 형제님들도 있습니다. 그러나 대부분은 끝까지 돈을 소유하려는 욕구를 내려놓지 않습니다. 왜냐하면 그 이면에는 음주에 대한 욕구가 숨어 있기 때문입니다.

　회복에 성공하는 사람들은 자기의 욕구, 특히 무의식적 욕구를 잘 분별하고 다스릴 줄 아는 사람들입니다. 이를 위해 자기 자신에 대한 섬세한 파악이 필요합니다.

　며칠 전부터 맡겨 놓은 돈을 돌려달라고 칭얼대던(?) J형제님이 그 돈을 돌려주자 짐을 싸고 공동체를 떠났습니다. 술 충동에 대해서 부인하지도 않았습니다. 나가면 바로 술을 마실 것이라고도 했습니다. 그가 걸어야 할 회복의 길은 까마득히 먼 곳에 있는 듯 보였습니다.

　단주에 성공하려면 무엇보다도 돈을 내려놓아야 합니다. 돈 보기를 돌 보듯 해야 합니다. 돈을 보유하고 싶고, 소유하고 싶고, 더 많이 벌고 싶은 욕구를 다 내려놓아야 합니다. 돈을 내려놓을 때 단주회복의 길은 성큼 내 앞으로 다가옵니다.

　주님께서 하나님과 재물을 겸하여 섬길 수 없다고 말씀하십니다. 마찬가지로 단주와 돈을 겸하여 섬길 수는 없습니다.

무엇이 치료인가?

알코올중독으로부터의 치료는 가능한 것일까요? 무엇이 치료일까요?

어떤 사람을 알코올중독자로 진단하는 가장 중요한 핵심 기준은 '조절력의 유무'입니다. 그 사람이 술에 취했을 때 더 마시고 싶은 욕구를 조절할 수 있느냐는 것이지요. 알코올중독자는 이 '조절능력'을 평생 회복할 수 없습니다. 그 사람이 3년, 5년, 10년 술을 끊었다 해도 일단 한잔 술을 마시게 되면 곧 조절할 수 없는 원래의 상태로 되돌아가게 됩니다. 이 능력을 회복할 수 없다는 점에서 알코올중독은 완치가 불가능한 병입니다. 조절이 안 되기 때문에 알코올중독자들은 결국 술 때문에 인생을 망치고 자신의 삶의 모든 것을 망치게 됩니다.

알코올중독을 치료한다는 것은 상실된 조절 능력을 회복시키는 것과는 아무 상관이 없습니다. 왜냐하면 현대의학이 그에 대해 아무런 답을 주고 있지 못하기 때문입니다. 그러므로 중독을 치유한다는 것은 두 가지를 의미합니다. 첫째는 술 때문에 망가진 인생을 회복하는 것이요, 둘째는 영원히 단주하는 것입니다. 이런 의미에서 알코올중독은 100% 치료가 가능한 병입니다. 누구든지 노력만 하면 이 두 가지 치료 목표를 달성할 수 있습니다. 누구든지 망가진 인생을 회복할 수 있으며, 영원히 단주할 수 있습니다.

이를 위해 알코올중독이 하나의 증상임을 이해하는 것이 중요합니다. 문제는 그 사람입니다. 그 사람의 내면 어딘가에 문제가 있기 때문에 그 사람이 알코올중독자가 된 것입니다. 술과 가까이 있었기 때문에 그는 알코올중독자가 된 것일 뿐입니다. 그가 만일 도박을 더 좋아했다면 그는 도박중독자가 되었을 것입니다. 성에 관심이 더 많았다면 성중독자가 되었겠지요. 이처럼 중독은 단지 하나의 증상일 뿐입니다. 문제는 그 사람 자체에 있는 것입니다.

　라파공동체에서의 치유란 바로 그 사람을 변화시키는 것입니다. 그의 속사람을 변화시키는 것이지요. 치료의 첫 단계에서 우리는 중독 그 자체에 집중하지만 그 단계가 지나면 우리는 그 사람에게 집중합니다. 그 사람의 내면, 그 사람의 속사람이 변해야만 술로의 속절없는 이끌림을 제어할 수 있기 때문입니다.

　영의 사람이 되어야 합니다.
　고매한 인격자가 되어야 합니다.
　그것이 치료입니다.

　그러기 위해 우리 마음 속에, 우리의 무의식 속에, 나도 모르게 앙금처럼 남아 있는 모든 역기능적 요소들을 찾아내서 제거하는 일이 너무도 중요합니다. 조절능력은 결코 회복되지 않습니다. 그러나 술에 이끌리지 않도록 나의 속사람을 변화시킬 수는 있습니다. 그것이 치유이며, 거기에 우리의 희망이 있습니다. 치유가 진행되면서 회복자들은 자신이 그렇게 되기를 바랐던 바로 그 '좋은 사람'으로 자신이 변해 있는 것을 느끼게 됩니다. 치료가 기쁨인 이유도 바로 거기에 있습니다.

무의식의 치유

알코올중독을 치유하는 데 있어서 '무의식의 치유'는 매우 중요합니다. 모든 알코올중독자들이 다 무의식의 치유를 받아야 하는 것은 아니지만 대부분의 중독자들은 무의식의 치유를 받아야 할 필요가 있습니다.

무의식이라는 단어보다는 비의식, 잠재의식, 감추어진 의식이라는 표현이 더 적절한 것같습니다. 제 생각으로는 무의식보다는 감추어진 의식, 숨겨진 의식이라는 표현이 더 적절한 듯 보입니다. 무의식이라는 것은 실상은 감추어진 의식을 뜻합니다. 의식이 없는 것이 아니라 감추어져 있는 것이지요. 대부분의 사람들도 이 감추어진 의식의 지배와 영향을 받고 살아갑니다. 그러나 알코올중독자들은 이 감추어진 의식의 영향을 보통 사람들보다 더 많이 받고 살아가는 것 같습니다.

이 감추어진 의식의 영향이 가장 많이 나타나는 영역은 말할 필요도 없이 술에 대한 충동이 일어날 때입니다. 단주 회복의 오랜 경험이 있는 선임자들은 자기 안에서 일어나는 이 감추어진 의식으로부터 술 충동이 일어나는 것을 잘 감지해 냅니다. 그러나 초보자들은 이 감추어진 술 충동을 제대로 감지해 내지 못합니다. 갑자기 짜증이 나고, 식구들이 답답해지고, 동료들이 미워지고 하는 등의 감정적 반응의 뿌리에는 술 충동이 숨겨져 있는 경우가 왕왕 있습니다. 술을 마시고 싶다는 강렬한 충동과 욕구가 마시면 안 된다는 의식의 표면 밑에 감추어져 있어서 이 의식과 감추어진 의식 사이에서 충돌이 일어나게 되고 그 충돌이 부정적 감정으로 표출되는 것이지요.

그래서 누군가가 옆에서 "너 술 마시려고 그러지"라고 말하면 중독자들은 엄청난 반발을 하게 됩니다. 그도 그럴 것이 그 자신의 의식으로는 절대로 술을 마시지 않겠노라고 결심하고 있기 때문입니다. 그렇게 자기 자신을 철석 같이 믿고 있는데 알지도 못하면서 술 마시고 싶어서 저런다고 하니 얼마나 부아가 치밀겠습니까? 그러나 실상은 무엇입니까? 단주회복 초기에 나타나는 부정적 감정의 밑바닥에는 술 충동이 숨겨져 있다는 것입니다. 알코올중독의 치유가 어렵고 힘든 이유도 바로 이런 점에 있습니다. 보이지 않는 숨겨진 의식과도 싸워야 하니까 말이지요.

숨겨진 의식은 비단, 술 충동만이 아닙니다. 대부분의 알코올중독자들은 역기능 가정에서 자라며 갖게 된 수많은 상처와 아픔을 의식의 표면 밑에 숨기고 있습니다. 그리고 그 상처와 아픔을 떨쳐 버리려고 술을 마시거나 자기 자신을 위장하며 살아왔습니다. 그 상처와 아픔은 주로 사람과의 관계에 대한 것입니다. 사람이 사람에게 상처를 주는 법입니다. 그 상처와 아픔이 숨겨진 의식으로 남아 있으면서 사람들과의 인간관계를 지배하고 조종합니다. 공동체 생활에서 가장 힘든 문제는 사람들 사이의 관계에서 발생합니다. 사람들에게서 받은 지난날의 상처와 아픔이 현재 여기에서 다른 사람들과의 관계에 투사되고 전이됩니다. 그럼으로써 과거의 상처와 아픔이 현재에 다시 재현됩니다. 이 과정은 필연적이라서 쉽게 없앨 수가 없습니다. 다만, 우리는 그 과정을 통해 숨겨진 의식의 실체를 밝혀내고 그것들을 의식화하는 작업을 수행합니다. 숨겨진 의식이 의식되는 의식으로 전환될 때 이제 그것은 통제 가능한 의식으로 전환합니다. 나도 모르게 나를 지배하고 조종했던 숨겨진 의식들이 의식으로 편입되면서 우리는 자유를 경험합니다. 점점 더 나 자신이 되어 가는 나를 느낍니다. 우리는 다 진정한 내가 되기를 원합니다. 알코올중독자는 내가 원하던 내가 아니었습니다.

숨겨진 의식의 최고의 치유자는 성령님이십니다. 성령님의 도우심 속에서 우리는 서서히 자기 자신을 찾아갑니다. 무의식의 깊은 심연에 숨겨져 있던 의식들 역시 나의 가장 소중한 일부분인 것을 회복자들은 경험합니다. 이제 비로소 내가 진정한 내가 된 기분입니다.
"나의 나됨은 하나님의 은혜"라고 고백했던 바울 사도의 고백이 이제 모든 회복자들의 고백이 됩니다.

인생은 잔치다

중독으로부터 회복하려면 어떤 사람들은 무쾌감증(anhedonia)이나 무감정 상태(apathy)를 극복해야 합니다. 그것들은 일시적으로 나타나기도 하지만 어떤 이들에게는 회복 과정 내내 나타나기도 합니다.

마시고 있는 중독자들에게 왜 술을 끊지 않느냐고 물으면 흔히들 "그러면 무슨 낙으로 사느냐"고 반문합니다. 술 마시는 게 인생의 낙이라는 것이지요. 그러므로 단주한다는 것은 그 낙을 잃어버리는 것을 의미하기 때문에 막상 단주가 시작되면 어떤 일을 해도 의욕이 없고, 기쁨을 느끼지 못하는 상태에 빠져들게 되는 것입니다.

회복한다는 것은 새로운 삶의 기술과 영역, 다시 말해 술이 아닌 다른 그 무엇에서 인생의 낙을 찾는 것이라 말할 수 있습니다. 말 그대로 낙이 있어야 사는 맛이 있고, 단주하려는 의욕도 생기지 않겠습니까.

인생의 이 새로운 영역을 발견하고 새로운 기술을 익히는 것은 그러나 말처럼 그렇게 쉽지가 않습니다. 도전적이고 적극적이고 긍정적이고 창의적이어야 그러한 시도를 할 텐데 이제 막 회복의 길에 들어선 사람들은 무감정, 무쾌감, 무기력에 시달리고 있으니 이런 새로운 시도를 행하기가 여간 어려운 것이 아닙니다.(물론 조증 상태에 있는 사람들은 역으로 지나치게 의욕적으로 이런 일을 추구하다가 단주에 실패하는 경우도 있습니다)

그래서 회복에는 오랜 시간이 필요합니다. 언젠가 때가 되면 회복자들의 내면에 축적된 생명의 힘이 서서히 그들을 다시 일어서게 만들고, 그들을 새로운 낙의 세계로 인도하게 될 것입니다.

오늘 아침 단주 10개월째로 접어든 K형제님이 런닝 머신을 타고 내려와 땀에 흠뻑 절은 모습으로 이렇게 말을 했습니다.

"이렇게 땀을 흠뻑 흘리고 나니 기분도 개운하고 뭔가 답답한 것이 확 사라지는 것 같아 너무 좋습니다. 목사님으로부터 '인생은 잔치다. 우리는 하나님의 잔치에 초대되었다'라는 말씀을 들으면서 '술도 없이 무슨 잔치냐, 현실을 즐기라고 하는데 뭘 어떻게 하라는 거냐?' 이런 부정적 생각만 들었었는데 오늘 아침 갑자기 '야, 이게 잔치구나! 술 없이 이렇게 즐길 수 있구나' 하는 게 깨달아지더라구요."

K형제님이 무쾌감증의 굴레를 깨고 인생의 새로운 낙을 발견하는 순간입니다.

"지금까지 저 런닝 머신을 부정적으로만 봤거든요. '저까짓 걸 뭐 하러 타나. 전기만 나가는데' 이런 식으로만 생각했는데 그게 아니더라구요. 이렇게 땀을 흠뻑 흘리고 나니 정말 기분이 좋습니다. 즐겁습니다. 여지껏 왜 세상을 그렇게 부정적으로, 내 생각 위주로만 보았는지 모르겠네요. 저 런닝 머신을 후원해 준 분들에게 정말 고맙다는 인사를 하고 싶습니다."

이제야 런닝 머신이 임자를 만났습니다. 라파공동체가 창립되던 해, 신학교 교수님의 추천으로 미국 한인 교회에서 보내준 선교비 백만원을 후원 받은 적이 있습니다. 아무 곳에 써도 좋으니 사용 내역만 사진으로 보내면 된다는 말씀과 함께 말이지요. 그 때 정말 사고 싶었던 것은 쌀이었습니다. 그런데 막상 쌀을 사서 그것을 사진 찍어 미국으로 보낼 생각을 하니 왠지 창피한 생각이 들기도 하고 너무 불쌍해 보이는 것 같아 싫더군요. 그래서 생각해 낸 것이 이 런닝 머신이었습니다. 우리 형제님들이 이 런닝 머신을 타며 땀을 흘리고 몸을 놀리며, 육체의 건강을 되찾고 자기를 가꾸는 기쁨을 느껴 볼 것을 꿈꾸며 말입니다.

지난 몇 년간 런닝 머신은 저희 공동체의 애물단지 취급을 받아 왔습니다. 몸 놀리기 싫어하고, 땀 흘리기 싫어하고, 별로 재미도 없는 일에 힘 쓰기 싫어하는 형제님들로부터 외면을 당해 온 것이지요.

그러나 얼마 전부터 젊은 형제님들이 런닝 머신을 타기 시작하더니 마침내 그 바람이 K형제님에게도 불어왔습니다. 그리고 급기야 오늘 아침, K형제님에게 살아있다는 것의 낙, 땀 흘리는 것의 낙, 자기 몸을 움직이는 것의 낙을 깨닫게 해 주는 귀한 도구로 쓰임받기에 이르렀습니다.

더 많은 형제님들이 저 위에서 땀을 쏟으며 잃어버린 삶의 기쁨과 즐거움을 회복하였으면 좋겠습니다.

공동체 형제님들의 열의 속에서 요즘 공동체에는 성경 타자 통독 붐이 일어나고 있습니다. 이번 주에는 기타 교실도 개설되었습니다. 바야흐로 열정이 되살아나고 있습니다. 공동체 모든 형제님들이 삶의 새로운 낙을 찾아 주님이 주시는 이 새로운 삶의 기쁨과 즐거움을 마음껏 누리기를 소망해 봅니다.

인생은 잔치입니다. 그리고 우리는 다 그 잔치에 초대되었습니다!

카르페디움

중독은 미련한 병입니다.

미련을 미련스럽게 떨쳐버리지 못하는 병입니다.

미련에는 두 가지 사전적인 정의가 있습니다.

하나는 "깨끗이 잊지 못하고 끌리는 데가 남아 있는 마음"입니다.

다른 하나는 "터무니없는 고집을 부릴 정도로 매우 어리석고 둔함"

입니다.

그러므로 중독이란, "터무니없는 고집을 부릴 정도로 매우 어리석고 둔해서 잊어야 할 것을 잊지 못하고, 끊어야 할 것을 끊지 못하여 여전히 그것에 끌려있는 마음 상태"라고 정의할 수 있습니다.

반복하여 죄를 짓는 자들에 대하여 성경은 이렇게 말합니다.

"개가 그 토하였던 것에 돌아가고 돼지가 씻었다가 더러운 구덩이에 도로 누웠다." 벧후2:22

이 얼마나 어처구니없는 미련이란 말입니까?

지난 교육 시간에 형제님들과 함께 공부하면서 미련에 대해 이야기 했습니다. 미련을 떨쳐버리기가 왜 이리 어려운지, 떨쳐버려야 한다는 것을 뻔히 알면서도 왜 그리 떨쳐버리기가 어려운 것인지에 대해서 말이지요.

미련을 떨쳐버리지 못하는 가장 큰 이유는 그것이 망상을 가져다주기 때문입니다.

나에게 아직도 가능성이 있다고 생각하는 것입니다.

잘 나가던 왕년으로 돌아갈 가능성이 아직 있다고 생각하는 것입니다. 그리고 보란 듯이 재기하고 싶은 것입니다.

모든 것을 다 잃어버린 현실을 인정하기 싫은 것입니다.

새로 시작해야 하는 것이 두렵고 자신감이 없는 것입니다.

그러니 차라리 미련을 미련스럽게 꽉 잡아두고 망상이나 즐기며 사는 삶이 덜 고통스런 삶이 되는 것입니다.

중독자들은 미련을 버리지 못하는 것이 아니라 버리지 않으려 할 뿐입니다.

주어진 오늘이 즐거울 때만 미련은 떨쳐버릴 수 있습니다.
미련은 지나간 과거의 영화에 집착하는 병입니다.
오지 않은 미래에 대해 망상을 품는 병입니다.
그러나 중요한 것은 오늘입니다. 현재입니다.

마시고 있지 않은 오늘,
오늘은 얼마나 놀라운 날입니까?
오늘을 즐기고 누릴 수 있을 때 미련은 더 이상 우리를 잡아놓지 못합니다.
카-르-페-디-움!(Carpedium)
오늘을 즐기라!는 뜻의 라틴어입니다.
제가 10년 전 영국의 치료공동체 켄워드 트러스트(Kenward Trust)를 방문했을 때 어딘가의 벽에 쓰여 있던 글귀였습니다.

회복의 길을 걷고 있는 모든 형제, 자매님들이여!
오늘을 즐기십시오.

봉사, 놀라운 치유의 능력
봉사하는 손길은 아름답습니다. 그러나 누구나 다 봉사하며 살지는 못합니다. 봉사하려는 마음이 있어도 어떤 이는 여건이 허락하지 않아서, 시간이 없어서, 게을러서, 어디서 봉사해야 할지 몰라서 등등 많은 이유들로 실제 봉사에 나서지 못하는 경우가 많습니다.

봉사는 아무나 하는 것이 아닙니다. 하나님의 마음을 품은 사람들만이 온전한 봉사를 할 수 있습니다. 그러나 역으로 봉사하다 보면 하나님의 마음을 품게도 됩니다.

봉사하는 사람들의 가장 큰 위험성은 봉사를 통해 자기 의가 드러날 가능성이 있다는 것입니다. 사회적 약자에 대한 봉사자의 우월감이 은연 중에 표출될 가능성도 있습니다. 봉사 받는 사람의 만족을 위한 것이 아니라 봉사자의 자기만족을 위해 봉사가 이루어질 가능성도 있습니다.

봉사의 초기에 이런 마음이 일어나는 것은 자연스런 일입니다. 사람은 누구나 다 부족한 존재들이기 때문입니다. 그러나 봉사가 계속될수록 이런 마음은 점차 사라지게 됩니다. 그 영혼에 대한 참 사랑이 느껴지고, 하나님의 긍휼의 마음이 거듭되는 봉사의 손길을 통해 마음 깊이 들어오게 됩니다. 우리 안에 있는 하나님의 형상이 서서히 빛을 발하기 시작하는 것입니다.

단주 3년 차에 이르는 H형제님이 장애인 도우미 직업을 얻어 새로운 삶을 이제 막 시작했습니다. 보수는 별 것 아니지만 오랫동안 꿈꾸어 왔던 그 일을 이제 시작하게 되었습니다. 지난 날 할 수 있는 것이라고는 술 마시는 것밖에 없었던 지독한 알코올중독자였던 그가 이제 술 마시던 손으로 날마다 중증 장애인들을 찾아가 목욕을 시켜 줍니다.

아아, 우리를 회복시켜 주시는 주님을 찬양합니다.
놀라운 기적을 베풀어 주시는 주님께 감사합니다.

그 봉사의 삶을 결정하기 앞서 H형제님은 6개월 동안의 무료 도시락 배달 봉사를 수행한 적이 있습니다. 그때 그는 지독한 알코올중독자였던 그를 '천사'라고 불렀던 수많은 독거노인들을 만났습니다. 행복이 물밀듯이, 파도처럼 밀려왔습니다. 그의 삶속에서 행복이란 단어가 실체를 잡기 시작하는 순간이었습니다. 자존감이 가슴 뿌듯이 채워지는 순간이었습니다. 자존감이란 이렇듯 나를 보는 타인의 시선을 통해 형성되는 법이기 때문입니다.

H형제님의 뒤를 이어 K형제님이 도시락 배달 봉사 활동을 시작했습니다. 나 같은 사람이 어떻게 봉사라는 것을 할 수 있는지 상상조차 못했는데 나 같은 사람도 봉사할 수 있다는 사실이 너무 기쁘다고 했습니다. 봉사 나가는 목요일과 금요일이 설렘으로 기다려진다고 말합니다.

오늘 아침 새벽 묵상을 마치며 기도할 때 K형제님이 이렇게 기도했습니다.

"주님, 오늘도 봉사를 나갑니다. 봉사의 발길이 닿는 집집마다 주님께서 축복해 주세요."

주님께서 그 집을 축복해 주실 것입니다. 그리고 형제님을 축복해 주실 것입니다. K형제님의 마음속에 하나님이 들어와 계심이 보입니다.

이미 치유는 놀라운 속도로 진전되고 있습니다.

친밀감에 대한 갈망

라파공동체의 치유를 위한 6대 실행덕목 중의 하나는 '순결'입니다. 일차적으로는 육체적, 성적으로 순결해야 합니다. 이차적으로는 정신적, 영적으로 순결해야 합니다. 하나님 앞에서 정결해야 한다는 말입니다. 우상을 섬기는 일이 없어야 합니다. 그래야 술을 끊을 수 있습니다.

술 취함은 방탕함과 보통 짝을 이루는 법입니다. 미국의 중독 치유현장에서 들리는 소리로는 미국 알코올중독자들의 50%가 성중독자라고 합니다. 성중독으로까지 발전하지 않았다 하더라도 남녀를 불문하고 알코올중독자들에게서 성적인 문란함은 그리 어렵지 않게 발견됩니다. 물론 어떤 알코올중독자들은 다른 이성과의 성적인 접촉을 벌레 보듯 싫어하는 사람들도 있습니다.

성에 지나치게 집착하는 사람도, 성을 지나치게 혐오하는 사람도 다사랑장애인들이라고 말할 수 있습니다. 그들의 속을 한꺼풀 더 벗겨보면 그 속에는 '친밀감 장애'가 있습니다. 사랑을 통해 우리는 여러 감정을 느낄 수 있는데 그 핵심감정 중의 하나는 '친밀감'입니다.

친밀감은 나와 가까이 있다는 느낌, 나를 위협하지 않는 안정감으로 함께 있어주는 느낌, 부드럽게 감싸주고 안아주는 느낌입니다.

이런 친밀감은 인격적인 사랑 속에서만 경험될 수 있습니다. 상대방에 대한 깊은 존경의 마음이 있을 때만 경험될 수 있습니다. 남자와 여자가 인격적으로 교류할 때만 경험될 수 있습니다.

많은 중독자들은 인격적인 사랑을 할 능력이 결여되어 있습니다. 사랑은 사랑을 받아본 사람만이 할 수 있습니다. 사랑은 아무나 하는 것이 아닙니다. 모든 사람들은 친밀한 사랑을 갈구합니다. 알코올중독자들은 이 친밀한 사랑을 보통 사람들보다 더 많이 갈구합니다. 갈구하지만 그것을 이루어낼 능력이 없습니다. 그대신 그들은 여자의 육체, 혹은 남자의 육체를 탐합니다. 그렇게 해서라도 친밀감을 확인받고 싶어 합니다. 그러나 그런 관계에서 진정한 친밀감은 얻어지지 않습니다. 더 큰 공허가 그들을 감쌀 뿐입니다.

어떤 중독자들은 이 친밀감을 향한 욕구가 거절되는 것이 두려워 아예 이성과의 접촉을 거부합니다. 추구하는 사람이나 거부하는 사람이나 다 친밀감 장애가 있기는 마찬가지입니다.

친밀감 장애를 극복해야 참된 사랑을 주고받을 수 있습니다. 그것이 치유입니다.

살려는 의지

생의 본능과 죽음의 본능이란 개념은 근대 철학과 현대 심리학의 중요한 부분이 되어 왔습니다. 근대 '생의 철학'을 주장했던 사람들은 인간의 본질을 '살려는 의지'에 있다고 설명합니다. 모든 생명 있는 존재들은 다 살려는 의지를 가지고 있습니다.

라파의 텃밭을 가만히 보면 생명을 가진 식물들의 생의 본능의 실체가 확연히 드러납니다. 라파의 텃밭은 오전에만 햇빛을 받을 수 있게 되어 있습니다. 오후가 되면 산그늘과 나무 그늘에 가려져 텃밭에 햇빛이 비치지 않습니다. 그런 조건에서 자라나는 새싹들은 예외 없이 동쪽 하늘을 향해 가녀린 손길을 쭉 내뻗고 있음을 발견합니다. 태양을 향해, 생명의 근원을 향해 자신의 전 존재를 내뻗고 있는 것이지요.

존재하는 모든 생명체에는 살려는 의지가 있습니다. 중독은 죽음의 본능을 자극하고 생의 의지를 고갈시키는 죽음에 이르는 병입니다. 우리가 해야 할 일은 이 살려는 의지를 북돋아 주고 고취하며 격려하는 일입니다. 때론 내부에 있는 독성들을 뽑아내야 합니다.

중독의 치료란 살려는 의지를 충만케 하는 것입니다.

성인 아이

성인 아이란 어른이면서 애와 같은 내면을 가지고 있는 사람을 말합니다. 심리학의 일반 용어로 이 용어가 자리 잡게 된 것은 알코올중독자들과 그 가정을 연구한 학자들에 의해서였습니다. 알코올중독의 치유, 나아가서 모든 중독의 치유는 성인 아이의 치유에 있다고 말해도 과언이 아닙니다. 다시 말해서 아직 아이로 남아 있는 성인 알코올중독자들의 내면을 어른의 수준으로 성장시키고 성숙시키는 일이 바로 치유라는 말입니다.

성경의 어떤 부분에서는 "어린 아이와 같이 되라"고 말합니다. 그러나 어떤 부분에서는 "어린 아이의 일을 떠나라"고 말합니다. 전자의 경우는 어린 아이와 같은 순진성, 순수성, 단순성, 정직성 등을 따라 배우라는 의미입니다. 그러나 후자의 경우는 어린 아이의 유치함, 미숙성을 떠나라는 의미이지요.

성인 아이를 치유한다는 것은 성인 알코올중독자 내면에 남아 있는 이 어린 아이의 유치함, 미숙성을 교정하고 성숙시키는 것을 의미합니다. 미숙한 어린 아이는 자기의 욕구를 그대로 이루려고 합니다. 그 욕구가 이루어지지 않으면 생떼를 피우고 투정을 부립니다. 미숙한 어린 아이는 책임지려 하지 않습니다. 그저 저질러 놓고 나 몰라라 도망 다니고 회피하기에 급급합니다. 미숙한 어린 아이는 오래 참고 인내할 줄 모릅니다. 자기가 원하는 것은 지금 당장 이루어져야 합니다. 미숙한 어린 아이는 올바로 의사소통하지 않습니다. 올바른 의사소통 방법에 대해서도 알고 있지 못합니다. 그저 울고 떼쓰고 위협하고 협박할 뿐입니다.

2개월 동안 라파에서 단주훈련을 받고 다시는 '이런 곳'에 오고 싶지 않다며 "이제는 정말 단주할 수 있을 것 같은 자신감이 든다"며 집으로 돌아간 Y형제님이 돌아간 지 3일 만에 재발하여 다시 입소하고 싶다는 전화를 걸어왔습니다.

"무슨 일이 있었나요?"라는 물음에 Y형제님의 아내가 이렇게 답했습니다. "그냥 자기가 하고 싶은 대로 안 되니까 저렇게 됐죠 뭐."

요컨대 그는 세상 모든 일이 자기가 원하는 대로 되어야만 하는 성인 아이라는 것입니다. 원하는 것을 얻기 위해서는 인내하고 타협하며 기다려야 하는 과정이 필요함을 알지 못하는 성인 아이라는 사실입니다.

정녕 가장으로서, 남편으로서 책임 있는 자세를 취하여야 함에도 불구하고 술 한방에 모든 것을 무로 돌려버리는 참으로 무책임한 성인 아이라는 것입니다. 술을 마심으로 내가 화 나 있고, 삐져 있다고 말하는, 올바른 의사소통을 하지 못하는 성인 아이일 뿐입니다.

그의 내면의 성인 아이를 치료하기 위해 2개월이란 시간은 적어도 그 형제님에게는 너무 짧은 시간이었습니다. 하물며 자기 자신이 성인 아이라는 사실을 인정조차 하지 않고, 더 나아가 자기 자신이 가장 성숙한 사람인 줄로 착각하고 있다면 그 치유의 길은 더욱 더 멀고 험할 수밖에 없습니다. 무엇이 치료인가에 대한 깊은 통찰이 주어진 후에야 우리는 Y형제님을 이곳 주님의 라파에서 다시 만날 수 있을 것입니다.

"주님, 이 땅의 모든 성인 아이들에게 자비를 베푸소서."

수다 떠는 남자들

수다는 여성들의 전유물인 것처럼 알려져 있습니다. 과연 그럴까요? 우리말 사전에 수다는 '쓸데없이 말이 많음'이라고 정의되어 있습니다. 그러나 쓸데없어 보이는 일이 참으로 쓸데 있는 일이 될 수도 있는 법입니다. 수다가 바로 그 중의 하나입니다.

수다는 스트레스를 해소하는 직효약입니다. 여성들이 모여 앉아 수다를 떠는 이유는 스트레스를 해소하기 위해서인 경우가 많습니다. 현대 의학에서 스트레스는 만병의 근원입니다. 그런 스트레스를 수다가 단번에 날려버리니 얼마나 쓸데가 많은 일입니까?

수다는 아무 사이에서나 이루어지지 않습니다. 믿고 안심할 수 있는 대상과 안심할 만한 환경에서 이루어집니다. 그러므로 수다가 이루어지고 있다는 사실만으로도 우리는 그 사람이 안심할 만한 사람과 안심되는 환경에서 마음껏 자기를 표현하고 있다고 믿을 수 있습니다.

수다는 비단 여성만의 전유물은 아닙니다. 저녁 어스름한 시간이 지나 아무 곳이든 선술집을 방문해 보면 우리는 허다한 수다를 떨고 있는 허다한 무리의 남성들을 만날 수 있습니다. 술 취한 그들의 수다는 흔히 객기와 허풍으로 이어지곤 합니다. 남성들이 술을 마시는 가장 큰 표면적인 이유 역시 스트레스를 해소하기 위해서입니다. 여자들이 수다를 통해 스트레스를 해소하려는 것처럼 말이지요.

모든 남성들에게도 수다에 대한 욕구가 있습니다. 수다는 외로움을 해결하는 훌륭한 방편이기 때문입니다. 경쟁에 시달리며 살아가는 남자들의 심령 깊은 곳에는 외로움이 있습니다. 도태될지도 모른다는 불안감이 숨어 있습니다. 그래서 남자들도 누군가와 얘기하고 싶어 합니다. 그러나 맨정신으로 그게 쉽지 않습니다. 술이 그 좋은 매개체가 됩니다. 술이 남자들의 마음을 열어주고 입술을 열어줍니다. 술판과 함께 남자들의 수다판이 벌어지고 그 속에서 남자들은 쌓인 스트레스를 풀어갑니다. 그 순간 그는 더는 외롭지 않습니다.

여기까지가 정상음주의 범주입니다.

알코올중독으로 접어들면서 서서히 모든 인간관계가 깨어지기 시작합니다. 사람들이 하나둘 내 곁을 떠나고 어느 날 주위를 둘러보니 남은 사람은 달랑 자기 자신밖에 없음을 발견합니다. 말할 수 없는 외로움과 고독이 엄습합니다. 뼈를 깎고 살을 에는 사무치는 외로움과 고독이 엄습합니다. 그 외로움이 싫어서 술을 퍼마시고 또 퍼마십니다. 그러면서 알코올중독자들은 고독 속에서 서서히 죽어갑니다. 말없이, 말없이….

말은 생명입니다. 말하는 자는 살아있는 자입니다.

요즈음 라파공동체에는 웃고 떠드는 남자들의 수다소리가 들립니다. 밥 먹을 때나, 저녁 어스름한 안식 시간에, 한가한 대낮의 휴식시간에 도란도란 떠드는 남자들의 수다소리가 들립니다. 그것은 생명이 회복되는 소리입니다. 오랜 칩거에서 벗어나 관계를 회복하는 관계회복의 소리입니다. 주어진 삶을 기쁨으로 받아들이는 기쁨의 소리입니다. 무엇보다도 안전한 사람들과 안전한 환경에 거한다는 안심의 소리입니다.

수다가 넘치는 오늘의 공동체는 바로 치유이며 행복입니다!

시월의 승리자

지난 10월에 J형제님과 Y형제님이 각각 단주 1년을 맞았습니다. 결실의 계절에 하나님께서 우리에게 풍성한 선물을 안겨 주셨습니다. 위대한 승리를 이끌어낸 두 분 형제님에게 아낌없는 갈채를 보내 드립니다.

지난 여름은 참으로 잔인했습니다. 6, 7, 8, 9월 네 달 동안 연이어 3기, 4기 형제님들이 음주의 나락으로 다시 빠져 들어갔습니다. 그들 중에는 5개월 이상 10개월가량 단주해 오던 형제님들이 포함되어 있어서 아쉬움이 무척 컸습니다. 마음도 많이 상했습니다. 그러나 상한 마음을 치료해 주시는 하나님께서 이 결실의 계절에 두 명의 회복자를 풍성한 선물로 우리에게 주심으로 위로를 베풀어 주셨습니다. 라파공동체의 경험으로 볼 때 평생단주를 위한 아주 중요한 기초는 초기 단주생활 1년을 어떻게 이루느냐에 달려 있는 것 같습니다.

　　J형제님이 지난 1년 동안 단주해온 과정을 되돌아 보면 "아는 만큼 변한다"는 말을 떠올리게 됩니다. J형제님은 지식 앞에서 겸손한 사람이었습니다. 자기 자신이 알코올중독이란 병에 걸려있는지도 모르고 살아왔다는 어리석음을 인정하였던 것이 매우 중요한 터닝 포인트가 되었습니다. 자기 자신의 어리석음을 인정한 이후 J형제는 공동체의 모든 교육과 훈련 프로그램에 누구보다도 성실하게 임했습니다. 그는 자기를 믿지 않고 공동체를 믿었습니다. 자기가 누구인지도 모르면서 더는 자기 자신을 믿을 수는 없었습니다. 그래서 자기 자신도 모르던 자기의 병을 진단해준 공동체에 자기 자신을 의탁하기로 결단하게 되었습니다. 그것은 참으로 위대한 결단이었습니다. 자기를 버리는 결단이었습니다. 더는 자기를 고집하지 않기로 하는 결단이었습니다.
　　자기를 내려놓을 때 사람들의 마음은 주위를 향해 활짝 열리게 되는 법입니다. J형제의 마음도 공동체를 향해 활짝 열렸습니다. 그 열린 문으로 새로운 지식들이 넘치도록 부어졌습니다. 배움의 기쁨이 날마다의 삶 속에서 새록새록 넘쳤습니다. 그리고 마침내 그의 열린 마음속으로 우리 주님께서 들어가셨습니다. 그는 그리스도인이 되었습니다. 그리고 주님의 은혜와 평강 가운데 단주 1년을 맞이하였습니다.

Y형제님의 단주 1년은 또 다른 의미에서 특별합니다. Y형제님은 우리 공동체에서 3개월 동안 생활한 후 중도에 서울로 떠났습니다. 중도에 공동체를 떠난 대부분의 형제님들은 '충동적으로 뛰쳐나갔지만' Y형제님은 그러하지 않았습니다. 퇴소에 대해 충분한 의견을 나눈 후에 자발적으로 공동체를 떠났습니다. 그 과정에서 격렬한 언쟁이 벌어졌지만 Y형제님은 자기의 뜻을 내려놓지 않았습니다.

서울에 가서 자리를 잡으면서 그는 공동체에서 훈련받은 대로 AA 모임을 순례하기 시작했습니다. 그리고 알코올상담센터 등을 활용해 도움을 요청하면서 새로운 삶의 터전을 일구기 시작했습니다. 지난 10월 초 공동체를 방문해 단주 1년 소회를 밝히는 중에서 Y형제님은 그 비결에 대해 공을 공동체의 3개월간의 교육과 훈련에 돌리더군요.

"두 가지가 기억에 남더라구요. '어려우면 주위에 도움을 청해라'는 가르침이 기억나더라구요. 그래서 상담센터나 동사무소 등 도움이 될 만한 곳은 다 찾아다니면서 내 처지를 이야기하고 도움을 청했지요. 그랬더니 조금씩 조금씩 길이 열리더라구요. 옛날에는 남에게 도움을 청한다는 것은 상상도 못하던 일이었는데 말이지요."

"또 하나 기억에 남는 것은 '감정'에 대한 것이었습니다. 감정 때문에 술을 마시게 된다는 것을 이곳 라파에서 배웠습니다. 그래서 내 감정을 잘 살펴보기 시작했지요. 감정을 잘 다루려고 노력했습니다. 그러다 보니 술로 이끌리는 충동을 다스릴 수 있게 되더라구요."

그러면서 Y형제님은 모임 참석자들에게 라파공동체의 훈련이 엄청 센 것을 나가보니까 알겠더라고 말했습니다. 그 강도 높은 교육과 훈련 이 있었기 때문에 지금은 AA모임에서 선배들이 들려주는 말을 상당 부분 소화할 수 있게 되었다고 말이지요.

이 두 형제님은 단주회복의 실마리를 나름대로 꽉 붙잡고 있었습니다. 그것이 통찰입니다. 그것이 살 길입니다. 두 형제님의 위대한 승리를 진심으로 축하합니다!

놀이치료

라파에 후끈 열기가 달아오르고 있습니다. R리그의 열기가 한창입니다. R리그란 '라파 배드민턴 풀 리그'의 준말입니다. 라파(rapha)의 머릿 글자를 따서 R리그로 부르고 있습니다. 7명의 선수가 개인별로 5전씩 풀 리그를 벌여 총 105게임을 치러야 하는 대장정입니다. 6월 1일 현재 40게임 정도를 소화하고 있고 앞으로 한 달 정도 리그가 계속될 것 같습니다. R리그가 라파의 새로운 놀이문화 창출의 중요한 계기가 되었으면 좋겠습니다.

모든 중독은 잘 놀지 못해서 생긴 병입니다. 알코올중독자들에게 있어서 술은 상습화된 놀이수단입니다. 그 사람이 심심할 때 무엇을 하는가를 보면 그의 놀이 수단이 무엇인지 알 수 있습니다. 알코올중독자들은 예외 없이 심심할 때 술을 마십니다. 술과 함께 노는 것입니다. 인간의 삶에서 놀이는 행복의 기본 조건입니다. 잘 쉬고 잘 놀 때 인간은 행복을 느낍니다. 알코올중독자는 술과 함께 놀고 그 노는 과정을 통해 행복을 추구하는 사람들입니다. 그러나 그 놀이의 대상이 잘못되었습니다. 놀이의 대상인 술이 놀이의 주체인 나를 가지고 노는 꼴이 된 것이 중독입니다. 이제 술이 나를 가지고 놀게 된 것입니다.

건전한 놀이를 즐기는 능력을 함양하는 것은 중독 치유의 중요한 구성부분입니다. R리그를 통해 건강하고 즐겁게 노는 문화가 자리 잡기를 기원합니다. 꿈꾸건대 훗날 전국 여러 곳에 산재한 라파공동체의 식구들이 모두 한곳에 모여 연합 배드민턴 R리그를 펼치는 날이 오기를 기대합니다.

주님께서 우리의 꿈을 이루어 주실 것을 믿습니다.

R리그의 심리학[1]

반상의 배드민턴 코트가 리그 참가자들의 내면세계를 반영하고 있음을 발견하는 것은 참으로 흥미로운 일입니다.

지는 것을 너무 싫어하는 한 형제가 있습니다. 그의 인생에서 패배란 있어서도 안되고 있을 수도 없는 일입니다. 그는 패배하지 않으려고 열심히 살았습니다. 그러나 그는 결국 중독자가 되었습니다.

"전에 같았으면 나는 이런 시합에 참가조차 하지 않았을 겁니다. 왜냐하면 내가 승리할 수 없는 판이니까요. 그러나 지금은 그런 것에 연연해 하지 않습니다. 이기고 지는 것을 떠나 함께 즐길 수 있다는 것이 즐겁습니다." 그는 지금 회복 중에 있습니다.

한 형제는 강한 체력을 소유하고 있습니다. 스테미너가 넘치는 형제입니다. 그러나 그는 상대방에게 공격을 가하지 못합니다. 왠지 강한 공격이 상대방을 난처하게 할까 싶어서, 상대방에게 좌절을 안겨줄까 봐 공격을 감행하지 못합니다. 그는 승부가 필요한 코트 위에서조차 상대방을 지나치게 배려합니다. 그러나 속으로는 그런 자기 자신이 싫습니다. 하고 싶은 것을 마음대로 하지 못하는 자기 자신이 마음에 들지 않습니다. 그래서 경기 자체가 그리 마음 편한 것이 되지 못합니다. 그러나 그는 지금 강한 스매싱을 주무기로 하는 전형적인 공격수로 변신하고 있습니다. 그가 점프하며 내리 꽂는 스매싱은 보는 사람을 감탄케 하고, 보기만 해도 속이 시원합니다. 이제 그는 자기를 얽어매고 있던 부질없던 내면의 속박에서 벗어나고 있습니다. 그는 자유롭게 날아오르고 있습니다. 마음껏 공격하고 있습니다. 그는 지금 회복 중에 있습니다.

한 형제는 칭찬에 약합니다. 경기를 잘 하다가도 잘한다는 칭찬을 들으면 어딘가 페이스를 잃는 경향이 있습니다. 칭찬은 하지도 말고 받지도 말았으면 좋겠습니다. 서로 묵묵히 경기에만 열중하면 좋을 것 같다는 생각입니다. "잘했어"라는 한 마디가 마음에 영향을 미치고 경기에 영향을 미치는 것이 영 마땅치 않습니다. 반면에, 어떤 형제는 칭찬을 들으면 엔돌핀이 더욱 세차게 돌기 시작합니다. 없던 힘이 불끈불끈 솟기 시작합니다. 경기하는 진짜 재미는 경기 그 자체보다 사람들의 칭찬에 있습니다. 이랬던 형제님들이 이제 서로 웃으며 칭찬을 주고받습니다. 그것은 코트의 예의가 되고 자연스러운 친밀감의 표현이 됩니다. 아무도 더는 칭찬에 목을 매지는 않습니다. 잘하면 잘한 대로 좋고 못하면 나의 약점을 발견해서 좋습니다. 완전한 사람은 없기 마련이며 노력해서 오르지 못할 나무 또한 없음을 알기 때문입니다. 이 형제들 역시 지금 회복 중에 있습니다.

　꼴찌를 하느니 차라리 나에게 죽음을 달라! 무슨 일을 하건 꼴찌를 하는 것은 너무 수치스러운 일이었습니다. 이 형제의 삶은 수치를 피하는 데에 집중되었습니다. 그러다가 오히려 가장 큰 중독이라는 수치를 만났습니다. 중독자인 것을 인정하는 것만도 수치스러운데 운동 경기에서 꼴찌까지 하는 것은 있을 수 없는 일이었습니다. 꼴찌를 탈피하기 위해 열심히 노력해 보지만 운동신경이 하루아침에 발달하는 것이 아니기에 성과가 변변치 않습니다. 이 리그에 계속 참가해야 하나 말아야 하나를 고민해 볼 때가 왔습니다. 그러나 이 형제도 지금 리그에 열심히 참가하고 있습니다. 나의 실력이 뒤지는 것을 겸허히 인정하고 받아들이게 되었습니다. 또한 실력이 부족하다는 것이 더는 수치심의 근거가 될 수 없다는 사실을 받아들이게 되었습니다. 그 수치심 때문에 형제들과 함께 노는 즐거움을 포기하느니 부족하더라도 함께 어울리고 즐기며 노력하는 만큼 기량을 증진시켜 나가는 기쁨을 택하기로 결정하였습니다. 이제 그는 꼴찌가 되어도 더이상 수치심을 느끼지 않습니다. 이제는 막가파가 되어 다른 선수들과의 시합을 보이콧 하겠다고 협박을 하며 배짱을 부립니다. 1승이라도 더 거두고 싶으면 자기에게 잘 보여야 한다고 큰소립니다. 꼴찌가 더는 수치스럽지 않습니다. 이 형제도 분명 회복 중에 있습니다.

코트 위에서 일어나고 있는 우리 형제님들의 심리를 이런저런 각도에서 종합해 보았습니다. 따라서 이 이야기들이 어느 특정인의 얘기라고 볼 수는 없습니다. 그런 역동이 일어나고 있다는 것이지요. 치유공동체에서 일어나고 있는 모든 일들이 치유의 도구이며 수단이라는 사실을 다시 한 번 상기해 봅니다.

R리그의 심리학[2]

이 형제에게는 묘한 행동상의 특징이 있습니다. 그는 자기 경기에 충실합니다. 자기가 경기할 차례가 되면 어김없이 나타나 진지한 자세로 경기를 치릅니다. 그러나 자기 경기가 끝나고 나면 언제나 경기장 옆의 텃밭으로 달려갑니다. 다른 사람들은 자기 경기가 끝나더라도 경기장을 떠나지는 않습니다. 다른 사람들의 경기를 관전하든가 심판을 본다든가 하는 일로 경기장 주변에 남아있는 편이지요.

대상관계이론에 비추어 이 형제의 행동을 분석해 보고 싶었습니다. 그리고 그 현상을 놓고 개인 상담을 하였습니다. 아무것도 아닌 평범한 행동이었지만 그의 행동의 배경에는 대상관계적 요인이 자리 잡고 있음이 확인되었습니다.

텃밭과 경기장 사이의 이격공간은 형제가 사회 혹은 사람들과 유지하고 있는 이격공간을 의미합니다. 형제가 텃밭에 가 있는 것은 경기장을 완전히 떠날 의사가 없음을 반영합니다. 동시에 적극적으로 경기장 분위기에 휩싸이고 싶지는 않다는 것을 의미합니다. 그 형제의 삶은 세상과 사람들에 대해 멀리 떠나지도 못하지만 가까이 가지도 못하는, 불가근불가원의 삶이었습니다. 그것이 그 형제가 택한 사회적응전략이었고 그러한 행동이 그에게는 익숙한 것이었습니다.

왜 그는 그런 전략을 택했던 것일까요? 그 중심에는 인간이 있습니다.

그는 심판을 보는 것이 부담이 되었습니다. 강한 승부욕이 지배하고 있는 코트에서 사람들은 자기주장을 강하게 펴고 예민해지기 마련입니다. 그러다 보면 갈등이 생기는 법이지요. 그는 그 갈등을 마주하고 싶지 않았습니다. 선수들의 강한 어필이 부담되었습니다. 그는 늘 자기는 조용한 자리에 머무는 것이 삶의 가장 좋은 처신이라고 생각하며 살았습니다. 앞에서 방방 뜨는 사람은 반드시 다치거나 결과가 좋지 않게 된 모습을 그는 어린 시절의 고아원생활을 통해 많이 보아왔습니다.

코트를 정비하고 필요한 물품이 제자리에 있게 하고, 마실 물을 준비하는 등의 일을 그는 묵묵히 수행합니다. 그러나 자신이 무엇인가를 주도하고 분위기를 잡는 일은 어색하기만 합니다. 아주 가까이서 사람들의 경기를 관전하고 응원하는 일이 그에게는 어색하기만 합니다. 사람들의 감정에 공감하며 일희일비 하는 것이 어색합니다. 내 경기는 끝났고 나의 의무는 다했으니 내가 있어야 할 조용한 장소로 나는 돌아갈 뿐입니다. 언제나 텃밭의 채소들은 나를 조용히 반깁니다. 그것들은 나에게 아무 것도 요구하지 않습니다. 저 떠들썩한 경기장보다 나는 여기가 좋습니다. 사람들은 언제나 갈등의 근원이었지만 술은 언제나 조용히 나를 기다려 주고 나를 반겨 주었습니다. 술은 나의 친구였고 나의 연인이었습니다. 그래서 그는 중독이 되었습니다.

그랬던 그 형제님이 상담을 통하여 자기의 내면을 읽고 난 이후 호미를 놓고 경기장에 머물기 시작했습니다.

"기뻐하는 자들과 함께 기뻐하고 슬퍼하는 자들과 함께 슬퍼하라"는 주님의 말씀이 형제님의 내면에서 조용히 울려 퍼집니다.

중독은 사람 사이의 갈등을 회피하고, 그것으로부터 습관적으로 도피하는 병입니다. 그러나 갈등은 인간의 조건입니다. 갈등 없는 인간의 삶은 있을 수 없습니다. 우리는 그 갈등과 더불어 살아가며 갈등을 통하여 성숙해 갑니다. 갈등은 우리의 성장과 성숙을 위해 하나님께서 사용하시는 하나의 도구에 불과할 뿐입니다.

"잘했어", "파이팅!", "힘내세요" 형제들을 응원하며 경기장에 머물고 있는 그의 모습이 아름답습니다.

R리그를 축복하시고 R리그를 흐뭇하게 관전하시는 주님의 모습을 떠올려 봅니다.

연약함이 겸손이다

Y형제님이 다시 라파에 왔습니다. 단주한 지 2년 3개월이 지난 그가 다시 라파에 왔습니다. 세상의 모진 비바람을 피해 다시 이곳에 왔습니

다. 자기 영혼 깊숙한 곳에 놓여 있는 모든 찌꺼기들과 쓰레기들을 말끔히 치워버리고 그 영혼 위에 새로운 집을 짓기 위해 다시 우리에게 왔습니다.

금의환향하기 전에는 오지 않으려 했다고도 했습니다. 그러나 그것보다 더욱 두려운 것은 술의 유혹이었다고 했습니다. 그 유혹을 이겨나가기가 너무 힘들어서 다시 라파에 왔다고 했습니다.

그는 겸손함으로 우리에게 왔습니다. 단주하며 세상에 나아갔지만 아무것도 이루지 못한 모습으로 우리에게 다시 왔습니다.

그의 모습에서 우리는 알코올중독자의 겸손을 발견합니다. 그리고 그 겸손이 우리의 마음에 감동으로 다가옵니다. 알코올중독자의 겸손함이란 자기의 연약함을 인정하고 있는 그대로를 드러내는 것을 말합니다.

이제 막 단주를 시작한 후배들에게 아무것도 이루지 못한 자기의 모습을 드러내는 것이 죽기보다도 싫었을 것입니다. 초라한 자기의 모습에 말할 수 없는 수치심을 느끼기도 했을 것입니다. 그러나 그는 그 거짓 자기에 굴복하지 아니하고 겸손한 자세로 우리에게 돌아왔습니다. 공동체가 필요해서, 주님이 필요해서, 자기의 영성을 더욱 가다듬어야 할 필요가 있어서, 있는 그대로의 모습으로 우리에게 다시 돌아왔습니다.

이제 연약함을 통해 역사하시는 주님의 강함이 그에게 주어질 것입니다. 겸손하고 낮아진 그의 심령 위에 '세워주시는' 주님의 은혜가 또한 함께 할 것입니다.

연약함이 겸손입니다!

영성이란 무엇인가? – 어버이날에 부쳐

지난주 알코올중독 교육 시간에 한 형제님이 질문했습니다.

"도대체 '영적'이란 게 뭡니까?"

알코올중독이 병이라고 인식되기 시작한 것, 그것도 '영적인 병'이라고 인식되기 시작한 것은 1930년대 미국에서부터였습니다. 알코올중독자였던 빌(Bill)과 밥(Bob)이 서로 만나 AA모임을 창립하고 그 모임을 통해 많은 사람들이 회복의 길에 들어서면서 그들의 회복의 경험을 더 많은 중독자들에게 전달하기 위해 그들의 회복 경험을 통합하여 책으로 펴내게 되었습니다.(이것을 『익명의 알코올중독자』Big Book이라 부릅니다)

그들이 이 책에서 알코올중독을 '정신병', '영적인 병'으로 정의한 이래 알코올중독을 다루는 모든 사람들이 오늘날 이 정의를 그대로 빌려와 사용하고 있습니다.

'영적'이라는 것이 무엇을 의미하는 것인지 이해하는 것은 알코올중독으로부터의 치유와 회복에 있어서 관건이 된다고 할 수 있습니다. 알코올중독이 영적인 병이기 때문에 영적인 전문가, 영적인 기관에서 이 병을 더 잘 치료할 수 있다는 것은 자명한 일입니다.

AA모임의 기원은 1920년대에 왕성하게 일어났던 미국의 옥스퍼드 운동에 있습니다. 그것은 초대 교회의 순수성과 정결성으로 돌아가자는 신앙회복 운동이었습니다. 이 운동은 자신의 실수와 죄, 회개, 새로운 삶의 수용 등을 다른 사람에게 진실하게 고백하는 확신단계와 자신이 받은 도움을 다른 사람에게도 전해 주는 지속단계로 이루어져 있었고 그 핵심은 나눔교제에 있었습니다. 이 옥스퍼드 운동을 통해 회심한 알코올중독자인 롤랜드(Roland)가 같은 중독자인 에비(Ebby)에게 전도하였고, 그가 마침내 빌(Bill)에게 그 길을 가르쳐 줌으로써 AA모임은 태동되게 되었던 것입니다.

AA모임은 '영적'이라는 단어가 갖는 의미를 배타적이며 독점적인 것으로 주장하지는 않습니다. 각 종교단체들은 자기들에게 맞는 '영적'인 옷을 입으면 된다는 것입니다. 그러나 AA모임의 태동에 결정적인 영향을 미친 종교가 기독교이고, 기독교적 원리가 이 모임의 기본 토대가 되었다는 점에서 무엇이 '영적'인가에 대해 기독교는 더 뚜렷하고 분명한 대답을 줄 수 있습니다.

도대체 영적이라고 말하는 것은 무엇이 어떻다는 것을 말하는 것입니까? 영적이라고 하는 것은 육체적인 것, 정신적인 것과는 다른 그 무엇입니다. 그것은 육체적인 것, 정신적인 것 너머의 보이지 않는 영적 실체, 곧 신과의 관계에 대한 것입니다. 그것은 보이는 세상에 대한 것이 아니라 보이지 않는 세상에 관한 것이며, 믿음의 세상에 대한 것임을 말하는 것입니다. 보이지 않는 영적 실체, 곧 신의 실체를 인정하고 이를 믿음으로 받아들이는 것이 '영적'으로 되는 출발점입니다. 신의 실체를 받아들인다는 것은 자기보다 더 큰 능력이 있는 어떤 존재가 실재한다는 것을 인정하는 것입니다. 그 신은 나쁜 귀신일 수도 있고, 우리가 믿는 참 신인 하나님일 수도 있습니다.

영적이라는 것은 그러므로 하나님이 살아계시다는 것을 믿음으로 받아들이는 것입니다. 그 신은 나보다 뛰어나고 더 큰 능력을 가지신 분이심을 인정하는 일입니다. 그리고 그 분만이 내 스스로 해결할 수 없는 내 인생의 문제, 곧 중독의 문제를 해결해 주실 수 있는 분임을 믿는 것입니다. 그리하여 그 분에게 내 생명과 내 인생을 맡기는 것입니다. 이것이 '영적'이라는 것의 핵심 내용입니다.

'영적'이라는 말이 이해되고 믿어지기 시작했다면 이제 그 사람은 영적으로 다시 태어난 사람이 됩니다. 그래서 영적으로 성장하고 성숙하는 과정이 필요합니다. 영적 성장과 성숙의 과정은 하나님과 인격적인 관계를 맺고 이를 증진시켜 나가는 것을 말합니다.

그 인격적 관계의 핵심은 하나님을 누구로 알고 그와 관계하느냐는 것입니다. 하나님은 우리의 아버지이십니다. 그래서 우리는 기도할 때마다 그 분을 "하나님 아버지"라고 부릅니다. 하나님은 바로 우리의 어버이이신 것입니다.

하나님을 알되 나의 아버지로 알고 그 분을 나의 아버지로 믿고 신뢰하게 될 때 그 믿음 안에서 우리의 영적인 성장과 성숙이 일어나기 시작합니다. 그리고 오직 그때 우리는 보다 확고한 회복의 길에 들어설 수 있습니다.

오늘 아침 새벽 묵상 시간에 예순네 살의 K자매님이 이렇게 기도했습니다.

"하나님 아버지, 오늘이 어버이 날입니다. 예쁜 카네이션을 아버지께 달아드립니다. 기쁘게 받아주세요."

영적인 잠에서 깨어 갓 태어난 자매님의 순수한 기도가 듣는 모든 이의 가슴에 떨림으로 다가왔습니다.
하나님, 당신은 정녕 우리의 아버지이십니다!

영혼에 뿌려진 제초제

라파공동체의 올 농사는 영 엉망입니다. 농사가 엉망인 이유는 농작물을 심고 가꾸기를 즐겨하는 사람이 없기 때문입니다. 재작년에는 C형제님이, 작년에는 J형제님이 계셔서 재미를 보았었지만 올해는 작물기르기를 즐겨하는 형제님들이 계시지 않아서 그런지 재미를 보지 못하고 있습니다. 역시 사람이 중요합니다. 내 일처럼 맡아서, 기꺼이 농작물을 가꾸는 사람이 있어야 합니다.

농작물 중에 그래도 기르기 쉽고 식탁에 도움이 되는 것은 고추입니다. 봄에 고추 모종을 사다가 심어놓으면 알아서 혼자 잘 크는 것이 고추입니다.(물론 규모 있게 키울 때에는 병충해를 조심해야 한다고 합니다.) 그런데 올해는 고추 농사조차 영 마땅치가 않습니다. 튼실히 자란 풋고추를 고추장, 된장에 푹 찍어 먹는 즐거움은 포기해야 할 것 같습니다.

이런 사연도 있었습니다. 봄에 모종을 사다 심어 놓은 고추들이 한동안 잘 자라는 것 같더니 언제부턴가 시름시름 죽어가기 시작했습니다.

왜 그런 현상이 일어나는지 처음에는 아무도 몰랐습니다. 그러나 시간이 지날수록 이파리들이 바짝바짝 타들어 가면서 죽어가는 것을 보고 '아, 제초제 때문이구나' 하는 것을 알게 되었습니다. 텃밭 주변 배드민턴장에 잡초가 하도 많이 나서 제초제를 뿌렸는데 그 제초제가 바람에 날려 고추에 영향을 미친 것입니다. '참 제초제 무섭구나' 하는 것을 느끼기에 충분했습니다.

그래서 몇몇 건강한 모종만 남겨두고 서둘러 다른 모종을 사다가 그 자리에 다시 새 모종을 심었습니다. 새 모종들은 잘 자라는 것 같았습니다. 그러나 시간이 지나면서 새 모종들도 성장이 더디고 시름시름 말라가기 시작했습니다. 땅이 이미 제초제의 영향을 받고 있었던 것입니다. 그러다 보니 당연히 열매가 시원찮을 수밖에 없었습니다. 직접적으로 제초제를 맞지도 않았건만 제초제의 나쁜 영향력은 실로 커다란 것이었습니다. 그것은 생명을 죽이는 것이었습니다.

시름시름 죽어가는 고추들을 보면서 알코올중독으로 고생 중인 우리 형제님들이 생각났습니다. 알코올중독자들의 운명이 바로 제초제 맞은 저 고추 모종의 운명과 같다는 생각이 들었습니다. 제초제를 직접 맞은 것은 아니지만 살아온 삶의 환경, 특히 성장과정에 있었던 유아 시절과 어린 시절의 '환경'이 그들의 마음 밭에 제초제가 뿌려진 상황과 같다는 생각이 들었습니다.

도널드 위니캇은 사람이 인격적으로 성장하고 발달하는 데 '좋은 환경'(촉진적 환경)이 절대적으로 중요하다고 말했습니다. 좋은 환경에서 좋은 인격이 만들어진다는 것이지요. 성장과정의 나쁜 환경을 통해 심리적으로 독을 맞은 사람들이 결국 중독자가 되고 말았습니다. 제초제의 나쁜 영향이 오랜 시간 지속되었던 것처럼 자기 자신이 나쁜 환경에 중독되어 서서히 인격이 황폐화되어 갔고 끝내는 삶의 의미와 목적을 잃어버린 채 시름시름 죽어가는 인생이 되었던 것입니다. 살아도 산 것 같지 않고 삶의 진정한 의미와 목적이 무엇인지도 모른 채 그 공허를 달래기 위해 그저 술을 마시고 또 마셨던 것입니다.

시름시름 죽어가는 고춧대를 보면서 자기가 누구인지 알지도 못한 채 공동체를 떠나간 형제님들 생각에 눈물이 납니다. 그들이 중독이 된건 그들의 책임이 아닙니다. 자기 책임도 아닌데 원치 않은 심리적 제초제를 맞고 시름시름 죽어가야만 했던 그 형제님들이 생각납니다. 살기 위해서 마실 수밖에 없었던 슬픈 중독자들이 생각납니다.

중독의 치유란 어린 시절 뿌려진 그 제초제의 독성들을 제거하는 일입니다. 자기 자신이 중독되었는지도 모르고 살아왔던 그 악한 독성들을 제거하는 일입니다.

"주님, 일찍부터 이 영혼들에 뿌려진 악한 독성들을 제거하여 주시옵소서. 그리하시면 저들이 살겠나이다."

일출 감상

중독 치료의 한 방법으로 카핑 스킬(copying skill)이라는 것이 있습니다. 말 그대로 '복사하는 기술'을 익히는 것이지요. 무엇을 복사한단 말입니까? 그것은 정상인들의 삶의 양식을 복사하듯 배워 익힌다는 말입니다. 곧 삶의 대처기술을 배우는 방법이지요.

술에 빠져 오랫동안 살다보면 어느새 '정상감'을 상실하게 마련입니다. 무엇이 정상적인 것이고 무엇이 비정상적인 것인지가 제대로 구분되지 않습니다.

술을 마시고 있을 때 대부분의 알코올중독자들은 해맞이하러 밤새도록 차를 달려 바닷가에 가는 사람들을 보고 미친놈들이라고 비웃거나 무시했을 가능성이 많이 있습니다. 매일 보는 태양을 뭐 볼게 있어 그 먼 거리를 시간 버려가며 돈 버려가며 뭐하러 갔다 오느냐고 생각했을 것입니다.

이런 생각을 바꾸는 가장 좋은 방법은 해맞이를 다녀오는 것입니다. 가서 경험해 보지 않고서 그 좋은 점을 찾기는 쉽지 않습니다. 그것이 바로 카핑 스킬입니다. 도대체 정상인들은 왜, 무엇 때문에 그 먼 거리를 달려 와서 해맞이를 하려는 것인지를 그 현장에 함께 다녀와 보면 금세 알 수가 있게 되는 것이지요.

거기에 온 대부분의 사람들은 인생의 의미를 추구하고, 떠오르는 태양 앞에 무엇인가 빌고 싶은 간절한 소망이 있었기에 거기에 온 것입니다. 해맞이를 하러 가면서 제가 개인적으로 가진 바람은 우리 형제님들이 그 곳에 온 수많은 사람들을 통해 그런 느낌을 카핑할 수 있었으면 하는 것이었습니다.

오늘 해맞이 소감을 함께 나누는 자리에서 형제님들이 각자 느낀 소감을 말했습니다.

"술을 끊으니까 그런 데도 갔다 오는구나 하는 생각이 들었습니다. 연말연시에 술 마시지 않고 맨정신으로 해맞이를 갔다 온 것은 생전 처음 있는 일이었습니다. 술 마시지 않는 인생이 새로움으로 가득 차 있는 것을 느낍니다."

"빨갛게 떠오르는 해를 바라보면서 열정이란 저런 것이구나 하는 느낌을 가졌습니다. '왜 나는 저런 열정으로 살아오지 못했을까' 하는 자책이 들더군요."

"대지에서 붉은 해가 조금씩 모습을 나타내는 것을 보면서 참으로 순수하고 순결한 모습을 느꼈습니다. 그러면서 '나는 왜 저렇게 순결하게 인생을 살지 못하고 술에 인생을 맡긴 채 엉망으로 살아왔나' 하는 생각이 들었습니다."

"해가 서서히, 아주 서서히 떠오르면서 세상을 차츰차츰 밝히는 것을 지켜보았습니다. '서두르지 말고 천천히 인생을 살아야겠구나' 하는 생각을 가져보았습니다."

"용광로와 같이 이글거리는 태양을 보면서 내 안에 있는 욕심이 다 녹아 없어지기를 바랐습니다. 내가 중독에 빠지고 회복의 길에서 실패하게 된 원인은 내 안에 있는 욕심 때문이었습니다."

"원래 일기예보에는 해맞이가 어렵다고 했는데 막상 그 날은 날씨가 좋아서 해맞이를 할 수 있었습니다. 떠오르는 태양을 보며 사람들이 탄성을 지르며 좋아하는 모습을 보았습니다. 그러나 만일 하나님께서 비구름이라도 내리게 하셨다면 거기에 모인 사람들이 꼼짝 못하고 아무

소리 못하고 다 집으로 갔을 것이라는 생각을 해 보았습니다. 하나님이 하시는 일을 인간들이 손끝 하나 바꿀 수가 없다는 사실을 느꼈습니다. 순종해야겠구나 하는 것을 느꼈습니다."

이런 소감을 들으면서 먼 여행이 헛되지 않았다고 생각하게 되었습니다. 우리는 이렇게 한 발 한 발 일반인의 삶을 카핑해 나갑니다.

태양이 붉은 빛을 띠고 동편의 나즈막한 섬 위로 조금씩 떠오르다가 마침내 섬의 등을 밟고 완전한 모습으로 떠올랐을 때 저는 새로운 생명의 탄생을 느꼈습니다. 마치 아기가 엄마의 자궁에서 떨어져 나오는 것 같은 느낌이었습니다.

우리 공동체의 형제님들이 중독의 껍질을 벗고 새로 태어나기를 바라는 간절함이 그렇게 투사된 것인지 모르겠습니다.

하나님께서 능히 그 일을 이루실 것입니다. 새해에도 놀라운 회복과 새로남의 역사가 공동체 역사 위에 감동적으로 쓰일 것입니다. 그 크신 일을 이루실 주님을 찬양합니다.

자기 사랑 자기 부인

자기를 사랑할 줄 알면 중독의 문제는 해결됩니다. 마찬가지로 자기를 부인할 줄 알 때 중독의 문제 또한 해결됩니다. 중독 치유의 핵심은 바로 이렇게 자기를 사랑하는 사람이 되고, 자기를 부인할 줄 아는 사람이 되는 데 있습니다.

주님께서도 말씀하셨습니다. 자기를 사랑하는 것처럼 아내를 사랑하고 교회를 사랑하고 이웃을 사랑하라고, 또 자기를 부인하고 날마다 자기의 십자가를 지고 나를 따르라고 말씀하셨습니다.

매우 단순해 보이는 이 말씀이 중독자들에게는 그렇게 쉽게 이해되고 적용되질 않습니다. 왜냐하면 사랑하고 부인해야 할 '자기'가 없거나, '자기감'이 미약하기 때문입니다. 때론 자기감이 '지나치기' 때문이기도 합니다.

'자기'가 없는 사람은 늘 공허합니다. 살아도 사는 것 같지 않고 모든 것이 시들해 보입니다. 그런 무기력감을 해소하기 위해, 그 내면의 깊은 공허를 채우기 위해 이들은 술을 마시고 중독이 되어 갑니다.

'자기'가 너무 지나친 사람은 사람들과 친밀한 관계, 사랑의 관계를 맺지 못합니다. 이들은 너무 자기중심적이고 이기적이기 때문에 사람들로부터 고립되어 있어 늘 외롭고 허전합니다. 그 공허를 메우기 위해 이들 역시 술을 마십니다. 그리고 중독이 되어 갑니다.

세상에 자기를 사랑하기 싫어하는 사람은 없습니다. 문제는 사랑해야 할 대상으로서의 자기가 누구인지를 잘 알지 못한다는 데 있습니다. 자기를 잘 알지 못하면 또 무엇을 부인해야 하는지도 알 수가 없습니다. 자기를 사랑하고 자기를 부인하려면 먼저 자기가 누구인지 알아야 하고 자기를 찾아야 합니다. 그 자기는 '참 자기'입니다. 참 자기는 하나님께서 나를 빚어 만든 창조의 형상입니다.

그런데 그 하나님의 참 자기는 우리의 성장과정에서 왜곡되고 변형되었습니다. 중독은 그 변형을 더욱 가속화시켜서 우리를 '거짓 자기'로 만들었습니다.

　내가 알코올중독자가 된 것은 참 자기가 아니라 거짓 자기로 살아온 결과입니다. 중독의 기간이 길면 길수록 이 거짓 자기는 더욱더 거짓을 강화하여 갑니다. 거짓 자기를 가진 사람은 세상의 모든 일을 거짓 자기라는 색안경을 쓰고 바라봅니다. 그 색안경을 쓰고 바라보는 세상과 일들은 당연히 참이 아닌 거짓된 것일 수밖에 없습니다.

　중독의 치유란 바로 이 '거짓 자기'라는 색안경을 제거하는 일입니다. 그것이 바로 자기를 부인하는 일입니다. 자기를 부인할 때 이제 참 자기가 그 실체를 드러내기 시작합니다. 그 때에야 비로소 진리가 보이고 참이 보이기 시작합니다.

　중독의 치유!
　그것은 참과 진리를 찾기 위한 투쟁입니다.
　진리 안에 거하기 위한 훈련입니다.
　그리고 그 끝에서 우리는 소중한 자유를 얻습니다.
　진리가 우리를 자유케 해 주기 때문입니다.

투사, 그 가공할 파괴력

　중독은 손상된 자기를 가지고 있음으로 생기는 병입니다. 자기가 허한 사람, 곧 자기감이 허한 사람들은 이를 채우기 위해 저마다의 노력을 기울입니다. 이 자기감은 근본적으로 내적인 것이기에 내적인 치유를 통해 채워져야 합니다. 그 내적 채움이 없을 때 사람들은 이를 외적인 그 무엇을 통해 채우려고 합니다. 알코올중독은 자기의 공허를 술로 채우려고 하는 병입니다. 자기가 내적으로 공허하기 때문에 아무리 외적으로 술을 퍼부어도 그 내적인 자기는 충족되지 않습니다. 알코올중독자들이 끝없이 술을 마시는 이유도 여기에 있습니다.

자기감이 취약한 사람들은 투사의 방어기제를 사용하여 자기의 약점을 가리려 합니다. 길 가다가 술에 취해 쓰러져 있는 사람을 볼 때 대부분의 알코올중독자들은 분노를 일으킵니다. 그 분노의 감정이 바로 투사입니다. 내가 감추고 싶어 하는 바로 나의 모습이기 때문입니다. 밖으로 끄집어내고 싶은(투사) 내 내면의 혐오스런 모습인 것입니다. 투사의 감정은 그렇기 때문에 가공할 파괴력을 갖습니다.

오늘 아침 새벽 묵상 시간이 끝나고 C형제님이 다소 격앙된 표정으로 저를 기다립니다. 목사님하고 할 얘기가 있어서 이렇게 아침부터 찾아왔다고 합니다. 어제 저녁부터 지금까지 한잠도 못 잤다고 합니다. 이쯤 되면 A급 경계상황이 됩니다. 여차하면 뛰쳐나가 한잔 마실 태세가 되어 있는 것입니다.

사연을 들어보니 이렇습니다. 어제 저녁 시청각 교육 시간에 다 함께 시청한 어느 유명 개그 우먼의 간증 내용이 발단이었습니다. 그 분의 시들했던 신앙이 어느 날의 영적 체험을 통해 뜨겁게 되었답니다. 그러나 교만으로 인해 이혼하게 되고 다시 재혼하였으나 그 남편의 병세 악화로 똥오줌을 못 가리게 되어 고통스런 간호의 나날을 보내던 중 남편의 똥오줌 빨래를 하면서 하나님께 서러운 원망이 들더랍니다. 그럴 때 하나님께서 너도 이 똥만도 못한 존재라는 깨달음을 주셨다는 것이었습니다. 우리 모두가 다 그렇게 하나님 앞에서 똥만도 못한 존재임을 알고 살아야한다는 요지였습니다.

이 간증에서 C형제님의 관심을 가졌던 부분은 '똥'이라는 단어였습니다. 거룩한 성전에서 자기가 아무리 개그맨이라 하지만 그런 표현을 꼭 써야만 하냐는 것이었지요. 그것이 격앙된 이유였습니다. 도저히 받아들일 수 없는 일이라는 것이었습니다. 그리고 오늘 아침 새벽 묵상 시간에 저도 그 자매님의 간증을 인용하면서 우리 모두가 정말 어떤 때는 똥만도 못한 존재가 아니냐고 말했는데 그것도 C형제님에게는 분을 더 키우는 꼴이 되었던 것입니다.

사도 바울이 빌립보서에서 배설물이란 표현을 쓴 적도 있고, 예수님도 밖으로 나오는 것이 무슨 해가 있느냐면서 똥에 대해 이야기하신 적도 있다고 얘기해 주기도 하고 또 그 자매의 간증 전후 맥락을 잘 이야기해 주자 C형제님의 감정이 다소 누그러지는 것 같았지만 여전히 씩씩거리는 마음이 남아 있었습니다.

C형제님과 이른 아침 대화를 마치면서 투사의 파괴력이 새삼 절감되었습니다. 그것이 도대체 무에 그리 큰 문제기에 밤새 한 잠도 못자고 이렇게 이른 아침부터 저를 찾아와 시시비비를 가리며 격앙된 감정을 토로한단 말입니까. 그것은 이혼의 경력이 있고, 교회 직분자로서 알코올중독에 빠져 있던 자신의 모습을 그 자매와 동일시한 가운데 자기 자신에 대해 가지고 있던 혐오스런 자기감이 '똥'으로 투사되어 나타난 것일 수 있습니다. 스스로를 똥처럼 생각하고 있던 그 혐오스런 감정을 '똥'이란 표현을 매개로 그 자매에게 폭사하고 있었다는 것이지요. 투

사의 감정을 다루려면 상당한 기간의 교육과 훈련이 필요 합니다. 시간이 좀 더 지나 C형제님과 이 투사의 감정에 대해 다룰 수 있는 때를 기다려야 할 밖에요.

어제 저녁 똑같은 간증을 듣고 L형제님이 말했습니다. "차라리 똥이라도 되었으면 좋겠습니다. 똥은 거름으로라도 쓸 수 있지 않습니까. 그러나 중독자로서의 나의 삶은 아무 짝에도 쓸모없는 그런 삶이었습니다. 정말 똥만도 못한 인생이었지요."

이것이 참된 고백입니다. 정녕 중독으로부터 취할 것은 아무 것도 없습니다. 오직 하나님만이 그것을 선한 것으로 바꿔 주실 것입니다. 하나님께서 우리들을 고치신 후에 그 고통스런 경험들로 다른 사람들을 치유하고 돕는 일에 사용하실 것입니다. 이것이 하나님이 우리에게 필요한 이유입니다.

차라리 유치하게 삽시다

중독은 유치한 병입니다. 다 큰 어른들이 허구한 날 술잔을 빨고(알코올중독자), 집을 비우고 나가 밤새는 줄 모르고 도박판에 앉아 있다면(도박중독자), 시간 가는 줄 모르고 홈쇼핑 방송을 지켜보다가 필요하지도 않은 물건들을 마구마구 사들인다면(쇼핑중독자) 이야 말로 아무 생각 없이 사는 유치하기 짝이 없는 행동들이 아닙니까?

이 세상에 중독을 좋아하는 사람은 아무도 없습니다. 왜 그럴까요? 그것은 중독이 유치한 병이기 때문에 그렇습니다. 유치하다는 것은 미숙하다는 것을 말합니다. 어른이 어른다운 행동을 하지 못하는 것을 좋아하는 사람은 아무도 없습니다. 모름지기 어른은 어른다워야 합니다.

먹고 마시고 노는 것은 인간의 가장 원초적인 욕구입니다. 그러나 그 원초적인 욕구가 성장 과정에서 충분히 충족되지 못할 때 이 욕구는 사라지지 않고 그 사람의 내면에 남아 있어 어른이 되어서도 그 욕구 충족을 위한 행동에 몰두하게 만듭니다. 이것이 모든 중독의 주요 원인 중 하나입니다.

대부분의 중독자들은 '애어른'으로 자랐습니다. 그리고 어른이 되어서는 '어른 아이'(성인 아이)가 되었습니다. 어린 시절을 애어른으로 보내면서 어른답다고 칭찬을 받았지만, 아니면 칭찬 받기 위해 어른처럼 살았지만 애들이 누려야 할 정당한 욕구들을 억누르며 살았습니다. 세월이 흘러 그 애어른은 어른이 되었습니다. 그러나 몸은 어른이 되었지만 그의 내면에는 아직 자라지 못한 어린 아이가 남아 있습니다. 그 어른 아이는 내면 아이의 욕구를 충족시키기 위해 어른으로 할 수 있는 모든 일들을 다하기 시작합니다. 곧 마음껏 먹고 마시고 노는 일입니다. 그리고 그것이 지나쳐 중독이 됩니다.

이 중독의 삶에서 벗어나려면 어떻게 해야 할까요? 차라리 유치찬란하게 살면 됩니다. 좀 더 고상하게 말하자면 어린 아이와 같은 순수한 동심과 욕구를 마음껏 겉으로 표출하며 살라는 것입니다. 어린 시절 채우지 못한 어린 아이의 욕구를 이제라도 삶 속에서 채워 넣으라는 것입니다.

회복의 길에 왕도는 없습니다. 우리의 인격 안에, 내면 안에 결핍된 것이 있다면 그것은 채워져야만 합니다. 우리 몸에 비타민이 결핍되었다면 그것이 채워져야 하는 것처럼 어린 시절의 채워지지 않은 욕구 역시 반드시 채워져야 하는 우리 영혼과 인격의 비타민과 같기 때문입니다.

중독자들은 자기 자신이 유치하게 보이는 것을 몹시도 싫어합니다. 어떻게 해서든 어린 시절의 애어른처럼 행동하려고 합니다. 그러면 그럴수록 그의 행동은 중독적 행위에 집착하게 됩니다. 오직 그 중독의 유치한 행동을 통해서 결핍된 욕구 충족을 도모할 수 있기 때문입니다.

중독의 행동을 중지하십시오. 그 대신 당신의 삶속에서 유치찬란하게 사십시오. 그것을 두려워하지 마십시오. 당신 안에 있는 채워지지 않은 욕구를 일상의 삶을 통해 자연스럽게 충족하십시오. 당신의 동심을 회복하십시오. 그럴 때 하나님의 나라가 당신 안에 성큼 다가오게 될 것입니다.

누구든지 하나님의 나라를 어린 아이와 같이 받아들이지 않는 자는 결단코 거기 들어가지 못하리라 눅18:17

치료에 성공하는 사람들의 7가지 특징

라파공동체를 통해 단주에 성공하고 있는 회복자들의 특징이 있다면 무엇일까요? 라파공동체를 통해 도움을 받고 1년 이상 단주에 성공하고 있는 회복자들에게 나타나는 공통적인 특징은 아래와 같습니다.

첫째는 두말할 것도 없이 예수 그리스도에 대한 깊고 바른 신앙입니다. 물론 사람에 따라 신앙심의 깊이에 어느 정도 차이는 있지만 이들 회복된 분들의 첫 번째 특징이 그리스도를 믿는 기독교 신앙 유무에 있음은 분명한 특징입니다. 이들 회복자들 중 단주에 성공하기 전부터 기독교 신앙을 가지고 있던 분은 그리 많지 않습니다. 오히려, 단주와 동시에 기독교 신앙에 입문하였거나, 기독교 신앙을 갖게 되면서 단주에 성공하게 된 경우라 말할 수 있습니다. 또 오래 전부터 신앙을 가지고 있었던 분들의 신앙도 예수 그리스도와의 인격적 관계가 바탕이 된 마음으로 믿는 신앙이라기보다는 습관적인 믿음, 머리로만 믿는 유사 신앙(pseudo faith)의 측면이 강했습니다. 그들의 취약한 믿음이 건강하고 바른 믿음으로 갱신된 것이지요.

둘째는 단주에 대한 강한 열망이 있었다는 점입니다. 저마다 이유는 다르지만 단주해야겠다는 강한 열망이 이 형제님들에게는 공통적으로 있었습니다. 주님께서도 병자들을 치료해 주시기 전에 이렇게 물으시곤 하셨습니다.

"내가 네게 무엇을 해주기를 원하느냐?"

"네가 정녕 낫기를 원하느냐?"

치유에 대한 간절한 열망, 단주에 대한 간절한 열망에서 진정한 치료는 시작되는 법입니다.

셋째는 자신의 문제를 해결받기 위해 도움을 요청할 줄 알았다는 점입니다. 누군가의 도움이 필요하다는 절박한 자각! 스스로는 이 문제를 해결할 수 없다는 자각이 그들을 치료의 길로 이끌었습니다. 정직하게 자기 자신의 문제를 바라볼 수 있는 정직의 능력과 남에게 도움을 청하고자 하는 간절함과 겸손이 그들을 단주 회복의 길로 이끌었습니다.

넷째는 술에 대한 두려움이 분명하게 있었다는 점입니다. 단 한잔이라도 마시게 되면 그 자신에게 무슨 일이 일어날지를 이 형제님들은 잘 알고 있었고 음주의 나락으로 다시 빠져 드는 것에 대한 분명한 두려움이 있었습니다. 두려움은 때론 새로운 출발을 위한 강력한 동기가 됩니다.

다섯째는 자기 자신을 철저히 드러냈다는 점입니다. 중독은 감추는 병입니다. 드러냄이 없이는 치유됨도 없습니다. 드러냄 자체가 치유입니다. 빨리, 더 많이, 더 깊이, 진실되게 자신의 죄악과 수치를 드러내는 사람들이 치유에 성공합니다. 마음속에 깊이 뿌리박고 있는 수치심, 죄책감과 같은 것들이 중독의 뿌리이며 원료입니다. 그것들이 밖으로 다 토해내지지 않는 한 치유는 일어나지 않습니다. 그 더러운 것들이 밖으로 나와야 거룩하고 정결한 것들이 안으로 들어가는 법입니다.

여섯째는 혼자 있지 아니하고 함께 있으려 한다는 점입니다. 혼자 있을 때가 위기입니다. 간교한 사탄의 공세를 혼자서는 이길 수가 없습니다. 혼자 있으면 자기가 어디에 있는지, 어디로 가는지 좌표를 잃을 때가 왕왕 있습니다. 단주에 대한 경각심이 서서히 무너지는 것을 알지 못합니다. 단주는 결코 혼자서 이룰 수 없습니다. 반드시 동료들과 함께 해야 합니다.

일곱째는 심리 상담과 교육, 훈련에 잘 반응하였다는 점입니다. 알코올중독은 마음의 병입니다. 심리학적으로 말하자면, 자아가 병든 것입니다. 병든 자아를 치료하려면 깊은 상담과 교육, 훈련이 필요합니다. 잃어버린 자아를 되찾고, 병든 자아를 치유하며, 새로운 자아를 형성해야 합니다. 그 과정은 매우 고통스럽고 힘든 과정입니다. No pain No gain! 고통 없이 얻음도 없습니다. 자기의 마음을 탐구하기 위한 진지한 노력과 마음의 고통을 감수하려는 노력이 단주회복의 결실로 나타납니다.

단주회복의 성공의 비결은 여기에 있습니다. 이는 무엇을 말합니까? 누구나 다 단주에 성공할 수 있다는 것을 의미하는 것은 아닐까요?
지금 시작하십시오. 이 비결을 따르십시오. 당신도 단주에 성공할 수 있습니다.

코페르니쿠스적 전환
알코올중독으로부터 벗어나기 위해서는 코페르니쿠스적 전환이 필요합니다. 그 전환을 우리는 '통찰'(insight)이라고 부릅니다.

그 통찰의 첫 번째는 "나는 알코올중독자!"라는 사실을 인식하고 인정하는 것입니다. 알코올중독은 '부인'(denial)의 병입니다. 자기 자신이 알코올중독자라는 사실을 결코 인정하지 않는 병입니다. 알코올중독자가 치유되기 위해서는 반드시 자기 자신이 알코올중독자라는 인식을 가져야 합니다. 그것이 첫 번째 통찰입니다.
두 번째 통찰은 "술은 끊을 수 있다!"는 것을 통찰하는 것입니다. 어떤 사람이 자기 자신이 알코올중독자라는 사실을 인정하는 것과 술을 끊을 수 있다고 생각하는 것은 전혀 별개의 일입니다. 오히려 자기 자신이 알코올중독자라는 사실을 인정하는 사람일수록 술은 끊을 수 없다고 생각하는 사람들이 너무도 많습니다. "술은 끊을 수 없다"는 믿음체계가 너무나 확고해서 어떻게 해볼 도리가 없는 경우가 많습니다. 그런 신념체계를 가지고 있는 사람들이 단주할 가능성은 거의 없습니다. 그런 생각을 가지고 있는 분들의 마음속에는 '언젠가는 결국 마시고 말거야'라는 패배적 신념이 자리 잡고 있어서 결국은 그 믿음대로 일이 이루어지게 되는 법입니다.

술은 끊을 수 있습니다!

반드시 끊을 수 있습니다.

방법은 간단합니다. 어떤 상황이 되어도 마시지 않으면 되는 것입니다. 그런 능력을 갖추면 되는 것입니다.

알코올중독자가 술을 조절해 마시는 것은 불가능합니다. 그러나 마시지 않는 것은 가능합니다. 그것이 우리의 믿음이 되어야 합니다. 알코올중독자들은 술을 '마실 수밖에 없는 사람'들이 아닙니다. 다만 술을 '조절해서 마실 수 없는 사람'이라는 사실을 직시해야 합니다.

자신이 알코올중독자라는 사실을 인정하고 술은 반드시 끊을 수 있다는 확고한 신념을 갖게 될 때 단주회복의 기적의 드라마는 시작됩니다.

태풍 맞은 라파

　공동체 생활 중에서 가장 괴롭고 처참할 때는 형제님들이 음주할 때입니다. 그리고 그 음주가 주정으로 이어져 소란이 되면 공동체는 가히 태풍 맞은 참담한 기분 속에 빠져듭니다.

　그렇게 음주사건이 있을 때 태풍 맞은 기분을 느껴보기는 했지만 실제 태풍의 피해를 본 적은 없었습니다. 그러나 지난 주말 불어 닥친 태풍 에위니아가 우리 라파공동체에도 그 위력을 발휘했습니다. 태풍 에위니아의 표적이 된 것은 위풍당당했던 오동나무였습니다.

　잘못됐으면 큰일 날 뻔했다는 형제님들의 이야기를 들었을 때만 해도 오동나무의 가지 정도가 부러진 걸텐데 뭐 그리 큰일날 일이 있었겠나 하는 심정이었습니다. 그러나 막상 태풍이 할퀴고 간 자리를 보고 입이 떡 벌어졌습니다. 하늘 높은 줄 모르고 뻗쳐오르던 오동나무의 두 가지가 꺾여 정자 위에 나뒹굴고 있었습니다. 그런데 그 꺾인 가지의 두께가 사람 몸통만 했습니다. 워낙 오동나무가 장대하다보니 가지가 가지가 아니라 수십 년 된 나무의 몸통과도 같았습니다. 정말 그 가지가 형제님들의 숙소로 떨어지기만 했어도 큰일 날 뻔 했다는 생각이 들어 등골이 서늘했습니다. 태풍이 온다는 사실을 잘 알고 있었지만 그렇더라도 그 큰 나무가 부러질 거라고는 누가 상상이나 했겠습니까?

　오늘 형제님들과 함께 전기톱을 들고 올라가 태풍이 휩쓸고 간 자리를 수습했습니다. 그러면서 위풍당당한 모습으로 뭇나무들을 제압하던 오동나무가 좌청룡 우백호처럼 치렁하던 두 가지를 잃고 볼품없는 모습으로 덩그렇게 남아 있는 모습을 보면서 '스스로 높이지 않는 겸손'에 대해 생각해 보게 되었습니다.

　강한 태풍이 강한 오동나무를 쳤습니다. 위풍당당하게 하늘 높은 줄 모르고 뻗어 오르던 오동나무가 그 표적이 되었습니다. 땅 밑에 다소곳이 숨죽이고 있던 식물들, 나무들, 채소들을 거센 태풍도 어찌 할 수는 없었습니다. 낮아지고 겸손한 사람들에게 인생의 태풍이 아무리 몰아닥쳐도 걱정할 필요가 없음은 그 태풍이 그를 어찌할 수 없기 때문일 것입니다.

　인생의 태풍을 맞는 사람은 스스로 한없이 높아지려고 하는 사람들뿐입니다. 엊그제 아침에 묵상했던 주님의 말씀이 떠올랐습니다.

　다 서로 겸손으로 허리를 동이라. 하나님은 교만한 자를 대적하시되 겸손한 자들에게 은혜를 주시느니라. 그러므로 하나님의 능하신 손 아래서 겸손하라. 때가 되면 너희를 높이시리라 벧전5:5~6

　어제 밤 20대의 한 형제님이 공동체를 떠났습니다. 그가 겪어야 할 술 태풍을 생각하면 안타까움이 앞섭니다. 그러나 어쩌겠습니까? 숱한 인생의 태풍을 겪고 나서야 비로소 낮아지고 낮아져 주님 앞에 나오는 중독이라는 병을 앓고 있는 젊은이인 걸 말입니다.

　중독이라는 병은 자기가 마치 무엇이라도 되는 양 교만해서 생기는 병입니다. 사실은 아무 것도 아닌데 말입니다. '나는 특별하다'(I'm something)에서 '나는 아무것도 아니다'(I'm nothing)으로의 전환이 없이 이 병은 고칠 수 없습니다. 더군다나 자기 자신을 '아주 특별한 존재'(Something special)로 알고 있다면 치료는 요원한 것이지요.

중독이라는 병을 고치려면 겸손해질 수밖에 없습니다.
중독이 우리를 겸손하게 만들어 준다는 점에서
그것은 또한 중독자들에게 축복이 될 수 있습니다.
'나는 아무 것도 아닙니다'는 겸손함으로 우리가 주님 앞에 나아갈
때 주님은 우리를 높여주실 것입니다.

어수룩한 문열이의 단주

K형제님이 단주 1년의 위업을 이루었습니다. 지난 2년간 단주 1년
의 공동체 치유 과정을 수료한 사람은 아무도 없었습니다. 긴 2년 여의
기다림 끝에서 마침내 K형제님이 단주 1년의 치유과정을 수료하는 축
제의 주인공이 되었습니다. K형제님과 함께 걸어온 지난 1년은 아슬아
슬한 줄타기의 시간이었다고 해도 과언이 아닙니다. 하나님의 도우심
이 아니라면, 하나님의 은혜가 아니라면 그 누구도 도달할 수 없는 그곳
에 K형제님이 마침내 이르렀습니다.

사람들 앞에 나서기만 하면 심장이 벌렁벌렁 뛰고 얼굴이 빨갛게 되
어 그 자리를 피해야만 했던 형제님이, 여러 사람이 공동으로 식사하는
것조차 부담스러워했던 형제님이 수십 명의 사람들 앞에서 단주 1년 소
감을 자랑스럽게 당당히 밝히는 모습 속에서 정녕 하나님이 행하신 크
고 놀라운 일을 실감하게 됩니다.

술 충동이 왔을 때 도어락의 안과 밖을 바꾸어 달면서 밖에서 자신을

방안에 가두게 하고 자신이 괜찮다고 할 때 문을 열어 달라고 했던 이야기는 이제 라파의 전설로 남게 될 것입니다.

지난 2년 사이 수많은 사람들이 라파에 입소해 치유를 받았지만 형제님이 자기 자신을 표현한 그대로 어수룩하기 그지없는 '문열이'만이 단주 1년의 위업을 이루었습니다. 단주는 말로 하는 것이 아니며, 머리가 좋다고 하는 것도 아니고, 교만한 사람들은 결코 할 수 없는 것임을, 오직 스스로를 낮추는 자만이 그것을 이룰 수 있음을 형제님은 자신의 단주로 증명하였습니다.

> 내 영혼이 주를 찬양하며
> 내 마음이 하나님 내 구주를 기뻐하였음은
> 그의 여종의 비천함을 돌보셨음이라.
> 보라 이제는 만세에 나를 복이 있다 일컬으리로다.
> 능하신 이가 큰 일을 내게 행하셨으니 그 이름이 거룩하시며,
> 긍휼하심이 두려워하는 자에게 대대로 이르는도다.
> 그의 팔로 힘을 보이사 마음의 생각이 교만한 자들을 흩으셨고
> 권세 있는 자를 그 위에서 내리치셨으며 비천한 자를 높이셨도다 눅
> 1:46~52

마리아의 찬가가 이제 형제님의 찬가가 되었으니 이 얼마나 감사한 일인지요.

회복의 길에 들어선 많은 사람들에게 단주 회복의 모범이 될 수 있기를 바라는 형제님의 마음의 소원이 반드시 이루어지기를 간절히 기도합니다. 형제님이 앞서 걸어가는 길을 여러 형제, 자매님들이 뒤따르고 있는 모습이 참으로 아름답습니다.

"하나님, 사랑합니다! 어머니, 사랑합니다!"

단주 1년의 소감 말미를 장식한 이 간절한 고백이 형제님의 영원한 단주 회복의 삶을 통해 실생활 속에서 증거되기를 기도합니다.

굶어죽지는 않는다. 그러나 마시다 죽을 수는 있다

알코올중독으로부터의 회복을 방해하는 강력한 장애물 중의 하나는 미래에 대한 불안입니다. 본래 미래는 불안한 법입니다. 누구나 미래를 알고 싶어 합니다. 그러나 그 미래를 아는 것이 우리에게는 허락되어 있지 않습니다. 다만, 오늘의 삶에 비추어 미래를 믿음 속에서 소망할 뿐이지요.

보이지 않는 미래에 대한 불안을 제거하려면 오늘 내가 확실한 그 무엇을 거머쥐어야 한다고 생각하게 됩니다. 대체로 그것은 돈일 경우가 많습니다. 돈만 있다면… 돈만 있다면… 미래가 덜 불안할 것 같아서 사람들은 돈에 집착하게 됩니다. 이러한 미래에 대한 불안, 돈에 대한 집착이 회복 중인 알코올중독자들은 일반인들보다 훨씬 더 심한 편입니다. 중독자들은 대개 물화된 인격을 가지고 있습니다.

그 불안을 제거하거나 완화하는 가장 좋은 방법은 자기의 미래를 하나님께 믿고 맡기는 것입니다. 하나님은 은행보다도 더 안전하고 확실한 분이시기에, 믿음이 있는 회복자들은 자기의 미래를 거리낌 없이, 기쁜 마음으로 흔쾌히 하나님께 내어 맡깁니다. 그러면 하나님께서 그의 미래를 책임져 주십니다. 나의 미래를 하나님께서 책임져 주시기 때문에 미래가 더는 불안의 대상이 아닙니다. 장차 우리는 더 좋은 하늘의 연금혜택을 받게 될 것이기 때문입니다.

N형제님도 미래에 대한 불안이 많은 분이었습니다. 한 달 수입이 지속적으로 줄고 있는 것도 그 불안을 가중시키는 요인이 되기도 했습니다. 그러나 언제부턴가 형제님에게 변화가 일어나기 시작했습니다. 미래에 대한 불안이 오늘 현재의 형제님의 삶을 더는 주관하지 못하는 느낌이 전해져 왔습니다. 감사가 점점 더 입에 오르내리게 되었습니다. 어제 감사 찬양 모임에서 N형제님이 이렇게 고백했습니다.

"저의 요즘 수입이 계속 줄고 있습니다. 그런데 그것이 감사하더라고요. 그렇게 되니까 제가 점점 더 하나님께 의지하게 되고, 그러면 그럴수록 하나님을 점점 더 깊이 알아가게 되더라구요. 만일 제게 수입이 더 늘었더라면 어떻게 되었을까요? 오히려 하나님을 떠나 더 멀리 가지 않았을까요? 틀림없이 그렇게 되었을 것입니다. 요즈음 이런 생각이 들더군요. 이렇게 수입이 줄어든다 해도 내가 굶어죽을 가능성은 거의 없다. 그러나 내가 수입이 늘어 교만해지고 자칫 술 마시게 되면 오히려 술을 마시다 죽을 일은 있을 것 같다. 그런 생각이 들더라구요. 그러니 가난하게 되는 것이 얼마나 감사한 일인지요. 저에게 가난을 주신 주님께 감사합니다. 자족할 줄 아는 능력을 주신 주님께 감사합니다."

너무 아름다운 고백에 우리 모두 박수를 쳤습니다.

자발성이 열쇠다

단주의 문을 여는 열쇠가 있다면 그것은 무엇일까요? 많은 사람들이 단주의 문에 들어서려 하지만 그 문으로 쉽게 들어서지 못하는 이유는 어디에 있을까요? 아마도 '자발성!'이 그 답 중의 하나일 것입니다.

자발성이 없다면 알코올중독은 치유될 수 없습니다. 다른 병들은 자발성이 없더라도 병원에 입원시켜서 강제로라도 째고 꿰매고 하면 나을 수도 있겠지만 알코올중독은 그것이 불가능한 병입니다. 알코올중독의 심각성은 술을 향한 자발성은 충분하지만 단주를 향한 자발성은 제로에 가깝다는 데에 있습니다.

단주를 향한 자발성을 어떻게 하면 가질 수 있을까요? 그 답을 발견할 수 있다면 그것은 가히 노벨의학상 감이 아닐까 싶습니다. 그래서 요즘에는 단주의 동기를 이끌어 내려는 동기상담, 혹은 동기면담 이론이 주목을 받고 있지요.

경험적으로 볼 때, 알코올중독자가 치유에 대해 자발성을 갖게 되는 경우는 두 가지입니다. 하나는 고통이고 다른 하나는 사랑입니다. 더는 스스로 감내하기 힘든 고통이 닥쳐올 때 자발적인 치료의지가 비로소 생기기 시작합니다. 이른바 '바닥을 치는' 상태에 이르는 것이지요. 다른 하나는 사랑하는 사람들 -가족이든, 친지든, 친구든-의 사랑이 마음 깊은 곳에서 느껴지기 시작할 때인 것 같습니다. 그러나 그때가 언제인지는 아무도 모릅니다. 바닥이라는 것도 결국은 주관적인 것이어서 사람마다 다르므로 그때를 예측하는 것은 거의 불가능해 보입니다.

그래서 우리는 하나님께 의지할 수밖에 없게 됩니다. 의지하고 싶어서 의지하는 것이 아니라 의지하지 않을 수 없어서 의지하게 되는 것입니다.

긍휼과 자비가 풍성하신 하나님께서는 그러나 우리의 약삭빠름을 꾸짖지 아니하시고 자기에게 나아오는 모든 중독자들에게 자발성이라는 열쇠를 내어 주십니다. 그 열쇠를 들고 우리는 비로소 단주의 문에 들어설 수 있습니다.

단주, 자발성이 열쇠입니다.

전문가에게 맡깁니다

알코올중독으로부터 벗어나기 위해서는 자기 자신을 전문가에게 맡겨야 합니다.

"전문가에게 맡깁니다. 나는 지금까지 내 자신이 알코올중독이란 병에 걸린 것도 모르고 살아왔습니다. 내가 정신병원에 입원하게 된 것도 피부가려움증을 치료하려고 병원에 갔다가 그것이 알코올중독 증상이란 얘기를 듣고였습니다. 가려움증은 바로 그 무서운 환촉 증상이었습니다. 이제 저는 알코올중독이 무서운 병임을 알게 되었습니다. 그러므로 내 병을 고치기 위해서 나 자신을 전문가에게 맡기렵니다."

공동체를 통한 치유과정에 합류하기로 결정하면서 J형제님이 한 말입니다. 많은 알코올중독자들이 중독으로부터의 치유와 회복을 위해 이처럼 자기 자신을 전문가에게 맡길 수만 있다면 얼마나 좋을까요? 알코올중독자들은 '술 마시는 데' 전문가이지 고치고 회복시키는 데 전문가가 아닙니다. 그런데 대부분의 중독자들이 이 사실을 혼동하고 있습니다. 자기 자신이 술을 많이 마셔 보았기 때문에 술에 대해서 잘 안다고 생각합니다. 그래서 스스로가 전문가인 것처럼 생각하고 행동합니다. '내 병은 내가 잘 안다'고 생각합니다. 그처럼 커다란 착각 중의 착각이 없습니다. 알코올중독자들은 다만, 술 마시는 데만 전문가일 뿐입니다. 그들은 치유와 회복에 대해서는 아는 것이 아무 것도 없습니다.

　이것을 깨닫는 것! 바로 치유의 첫걸음입니다.

　단주가 제일 쉬웠어요

　이 계통에선 꽤나 유명한 금언입니다. 5년, 10년 단주하신 분들의 입에서 흘러나온 금쪽같은 금언입니다.

　단주의 길이 매우 고통스럽고 힘든 길인 것만은 사실입니다. 그러나 진실을 말하자면 술 마실 때가 더 고통스럽고 끔찍합니다. 술에 절어 있을 때 우리는 진실을 가려보지 못합니다. 왜냐하면 알코올중독은 우리의 정신과 영혼을 부패시키고 눈을 가리는 질 나쁜 병이기 때문에 그렇습니다. 그러나 단주의 나날들이 하루하루 길어지고 어느새 우리의 정신이 맑아지다 보면 진실이 하나 둘 드러나기 시작합니다.

술 마시는 것보다는 차라리 단주가 쉬운 것입니다. 마실까 말까를 고민하는 것보다는 단주하는 것이 속 편하고 행복하기 마련입니다.

어제 K형제님의 사례회의를 마치면서 형제님들이 내린 결론은 앞으로 우리의 삶을 통해 "단주가 가장 쉬웠어요!"라고 말하는 인생이 되기로 하였답니다.

단주의 삶 속에 하나님의 놀라운 은혜와 축복이 가득하기를 기원합니다.

씨앗에는 문제가 없다

"맞아, 씨앗에는 문제가 없어!" M형제가 중독의 원인에 대해 교육을 받은 후 내린 놀라운 통찰입니다.

중독은 일종의 나무에 비유됩니다. 정서적, 신체적, 성적, 영적 학대가 모든 중독의 기본 토양이 되고 그 토양 위에서 형성된 부정적 감정들, 이를테면 수치심, 분노, 외로움, 두려움 등의 감정이 뿌리가 되어 결국, 중독이라는 열매가 맺히게 된다는 것이 '중독나무이론'의 골격입니다.

M형제의 통찰처럼 본래부터 문제가 있는 씨앗은 없습니다. 하나님은 우리 모두를 좋은 씨앗으로 만들어 이 땅에 보내신 것입니다. 그 좋은 씨앗이 잘못된 토양을 만나면 그렇게 중독의 열매를 맺게 되는 것입니다.

대부분의 중독자들은 자기 자신에 대해 부정적인 자아상을 가지고 있습니다. '나는 나쁜 사람이다. 나는 쓸모없이 만들어졌다'라는 자아상이 바로 그런 것이지요. 그리고 그 부정적인 자아상에 갇혀 평생을 살아가게 됩니다. 그런 점에서 M형제의 이 깨우침의 외침은 놀라운 회복의 출발점이 될 것입니다. 이제부터 진정한 회복의 여정, 중독의 자아상에서 벗어나 진정한 자기를 찾아가는 여정이 시작될 수 있기 때문입니다.

M형제에게 깊은 통찰의 선물을 주신 하나님께 감사합니다.
하나님의 작품 중에 정녕 불량품은 없습니다!

'누구나'와 '아무나'

라파공동체에는 누구나 다 입소할 수 있습니다. 그 자신이 자발적으로 입소를 선택하였다면 그가 누구인지에 상관없이 말입니다. 다시 말해, 입소 결정권이 입소 당사자에게 있다는 말입니다. 물론 술을 끊으려는 목적이 분명해야 하겠지요.

이렇듯 라파공동체의 문은 누구에게나 열려 있지만 실제로 라파공동체에 입소하는 사람의 수는 그리 많지 않습니다. 알코올중독자들 중에서 단주하려는 마음을 가지고 있는 사람이 거의 없고, 또 단주의 마음이 있다 할지라도 공동체 생활을 통해 중독이란 병을 치유하려고 결심하기란 하늘의 별따기만큼이나 어려운 일이기 때문입니다.

그렇다고 어려운 결단으로 라파공동체에 입소한 분들 모두가 단주에 성공하는 것도 아닙니다. 곧 단주는 아무나 하는 것이 아니란 말씀입니다.

끊임없이 자기를 비우고 버리며 쉼 없이 자기를 깎아내는 사람만이 단주에 성공할 수 있습니다. 알코올중독의 적은 다른 그 누가 아닙니다. 자기 자신입니다. 나를 바꾸기 위한 투쟁에서 승리해야 단주가 보장됩니다.

나는 스스로 나 자신을 바꿀 수 없습니다.
하나님의 도우심이 필요합니다.
동료들의 도움이 필요합니다.

하나님과 동료들이 주는 힘을 가져야 나는 나를 바꾸는 여정을 시작할 수 있습니다.
지난 교육 시간에 K형제님이 말했습니다.
"제 생각에는 라파공동체에는 누구나 다 들어올 수 있어요. 그렇지만 아무나 다 단주에 성공하는 것은 아니구요."
이제 입소 두 달 밖에 안 된 형제님이 '누구나'와 '아무나'의 차이를 깨닫게 된 것 같습니다. 누구나 단주를 결심할 수 있습니다. 그러나 아무나 단주에 성공하는 것은 아닙니다.
하나님 안에 거하고, 동료공동체 안에 거하며, 은혜 안에 거할 때 단주는 성공합니다.

나는 포도나무요 너희는 가지라. 그가 내 안에, 내가 그 안에 거하면 사람이 열매를 많이 맺나니 나를 떠나서는 너희가 아무 것도 할 수 없음이라

'다르다'와 '틀리다'

라파공동체의 치유 과정에서 형제님들이 얻게 되는 인지적 유익의 하나는 다른 것과 틀린 것을 구별하는 능력을 갖게 되는 것입니다. 빨간 것과 파란 것은 서로 다른 것, 곧 different한 것입니다. 빨간 것과 파란 것을 놓고 어느 것이 옳고 어느 것이 그른지를 따지는 사람은 없습니다. 그것은 옳고 그름을 가려야 하는 right or wrong의 문제가 아니란 말씀입니다.

중독에 오래 빠져 있다 보면 사고가 경직되고 시야가 협소하게 됩니다. 고집이 세지고 완고하게 됩니다. 그리고 일과 사물, 사람의 됨됨이를 옳고 그름의 문제로 파악하려는 경향이 강화됩니다.

서로 자라온 환경과 경험이 다르고, 사고방식과 가치체계가 다르므로 서로 다른 사람들이 만나 이루어 가는 공동체가 평안할 수만은 없습니다. 평안을 얻을 수 있는 유일한 방법은 서로의 다름을 인정하고 이해하며 존중해 주는 것입니다. 곧 옳고 그름으로 대하는 것이 아니라 서로 다름으로 대하여야 한다는 것입니다.

공동체 제반 운영에 대해 서로의 의견을 교환하고 필요한 방침을 결정하는 자치 운영회의 시간인 토요 공동체 미팅 시간에 다른 것과 틀린 것 사이의 구분을 놓고 형제님들 사이에 팽팽한 긴장이 흐르는 것을 어렵지 않게 발견할 수 있습니다.

설거지를 그릇에서 빠닥빠닥 소리가 날 때까지 해야 하는가, 대충대

충 행궈도 되는 것인가. 치약을 밑에서부터 살살 말아 올려 짜야 되는가, 중간부터 푹 눌러 짜도 되는 것인가. 경건 모임에 커피 잔을 가지고 들어가도 되는가 안 되는가. 세탁물을 모아서 하루에 한 번만 세탁기를 돌려야 하는가, 그때그때 수시로 해도 되는가 등등 서로 다른 것의 출현은 밑도 끝도 없이 이어집니다. 그 모든 과정을 대화를 통해 해결책을 모색하고, 그 과정을 통해 형제님들은 서로의 다름을 인정하고 존중하는 법을 배웁니다. 나의 주장을 내려놓는 법을 배웁니다. 다른 의견대로 살아보았더니 그것도 괜찮다는 것을 경험으로 체득합니다. 그렇게 해서 세상살이의 대부분의 문제가 서로의 다름의 문제일 뿐, 옳고 그름의 문제가 아니라는 것을 체득해 갑니다.

세상은 다양한 것들이 있음으로 짜증이 나고 스트레스가 되는 것이 아니라 그것들로 인해 풍성해지고 넉넉해지며 재미있어지는 것임을 몸으로 배우게 됩니다. 긴장과 갈등의 삶이 여유로움과 포용의 삶으로 변해갑니다. 그것이 치유입니다.

'만약에'와 '때문에'

"만약에 내가 술을 마시지만 않았다면 모든 게 다 잘되었을 겁니다."

회복의 과정에서 중독자들은 이런 회한의 심정을 종종 토로하곤 합니다. 그럴 수만 있었다면 그렇게 되었겠지요. 그러나 이미 우리는 그때부터 중독에 빠져든 뒤였기에 어쩔 수가 없었을 뿐입니다.

과거에 대한 이런 식의 회한은 회복의 과정에 아무런 도움이 되지 못합니다. 이미 과거는 지나갔는데 지금에 와서 무엇을 어쩔 수가 있단 말입니까? 과거에 대한 가정은 후회, 원망, 자책감 등을 부추길 뿐입니다.

회복의 과정에서 과거에 대한 회상은 "만약에"라는 가정법으로 진술되는 것보다는 "때문에"라는 진단적 표현으로 기술되는 것이 더 도움이 됩니다.

"술 때문에 내 인생의 모든 것이 망가졌다!"

이 진술이 중독으로부터의 회복에 진정 더 도움이 됩니다.

만약에 내가 술을 마시지 않았다면 '모든 게 다 잘되었을 텐데'하는 가정법적 과거 회상은 그에게 다른 방법으로 자기 인생의 문제를 해결하려는 꼼수를 강구하게 만듭니다. '그래 이제 술만 안마시면 되니까, 뭔가 다른 방법을 강구하자. 그래서 이 실수를 만회하자' 이런 생각을 발동하게 합니다.

이런 발상은 틀린 것입니까? 꼭 그렇다고 말할 수는 없습니다. 그러나 이 발상이 술 문제의 심각성을 희석시킨다면 그것은 큰 문제가 될 수 있습니다. 술로 생긴 문제를 술이 아닌 다른 방법을 통해 보상하려고 하는 시도는 결국 그를 술자리로 불러낼 위험성이 매우 크기 때문입니다.

알코올중독은 술의 문제입니다.

우리가 지금 해결하고자 하는 것은 술입니다.

술을 끊지 않고서, 그리고 이에 대한 분명하고 뚜렷한 목표의식이 없이 중독자들의 삶은 결코 회복될 수 없습니다.

중독자들의 인생은 술 때문에 망친 것입니다.

그러므로 가장 좋은 회복의 길은 그 술을 끊는 것입니다.

술을 끊는 것 자체가 술 때문에 망가진 인생의 보상이고,

술을 끊은 그 맑은 정신에 하나님께서 더 좋은 것으로 채워주실 것입니다.

모든 중독자들이 중독으로 인해 잃어버린 인생을 되찾는 가장 확실하고 유일한 길은

그 중독된 행위를 멈추는 것에 의해 주어집니다.

그것이 최우선이 되어야 합니다.

나머지는 그 다음입니다.

"술 때문에"의 인식이 확고한 사람이 술을 더 잘 끊을 수 있습니다. 알코올중독자들에게 술은 파탄된 인생의 가장 확실하고 유일한 원인입니다. 그 원인이 제거될 때 파탄된 삶은 다시 회복되기 시작합니다.

벌너러빌러티

알코올중독자가 있는 가정에는 이것이 있습니다. 그것은 벌너러빌러티(Vulnerability)입니다. 우리말로 번역하면 깨어지기 쉬움, 상처 입기 쉬움, 취약함 등입니다. 많은 사람들이 살아가면서, 특히 가족 안에서 상처 입기도 하고 관계의 깨어짐을 경험하기도 합니다. 그러나 중독자가 있는 가정에서의 그것은 정도 이상의 것입니다. 중독자의 음주가 이미 정상의 범주를 넘어서는 지나침인 것과 마찬가지로 중독자 가정에서 겪게 되는 벌너러빌러티는 상상 그 이상입니다. 서로가 서로를 향

하여 마치 상처를 주기 위해 존재하는 것처럼 남편은 아내에게, 아내는 남편에게, 부모는 자식에게, 자식은 부모에게 말할 수 없고, 지울 수 없는 상처를 주고받습니다.

그것이 일상적으로 반복되면서 작은 말 한마디, 사소한 행동 하나하나에도 서로 예민해지고 민감해져서 나중에는 무슨 말을 하여야 할지, 어떻게 행동해야 할지조차 모르는 단계에까지 이르게 됩니다. 하루하루의 삶은 상대방을 자극하지 않고, 상처주지 않으려는 노력에 집중됩니다. 서로를 기쁘게 하고, 행복을 나누는 데 생산적으로 쓰여야 할 에너지가 소모적인 곳에 집중되어 사용됩니다. 그리하여 가족 모두가 채워지지 않는 심리내적인 공허와 허탈감을 경험하며 살아갑니다. 극도의 예민함 속에서 누가 자칫 건드리기만 하면 곧 깨어질 것 같고 터질 것 같은, 팽팽한 긴장 속에서 살아갑니다. 삶 자체가 불안이 됩니다. 그리하여 마침내 가족 모두는 이 벌너러빌러티에 중독되어 갑니다. 툭하면 깨어지고, 툭하면 상처받는 상황이 정상인 것처럼 느껴지기 시작합니다. 세상의 모든 가정이 다 이렇게 사는 것인 줄 착각하며 살아가게 됩니다.

마음 한편에선 '이건 아니야, 뭔가 우리에게 잘못된 일이 일어나고 있음에 틀림없어'하는 경고의 메시지가 울려나오지만 현실은 개선되지 않습니다. 오히려 중독은 더욱 깊어만 가고 온 가족에게는 돌이킬 수 없는 상처만 남게 됩니다.

중독 치료에서 가족 치료가 절대적으로 필요한 이유, 전문가의 도움이 필요한 이유가 여기에 있습니다. 많은 가족들이 스스로 중독을 치료하려고 노력합니다. 그러나 치료하려는 행위가 지속될수록 상처는 깊어지고 감정의 골은 더욱 패여만 갑니다. 그것은 가족들 모두가 벌너러빌러티한 상황, 곧 심리적으로 지극히 취약한 상태에 놓여 있기 때문입니다.

이런 상황에서 사람들은 방어적으로 되거나 공격적으로 됩니다. 비난과 전가를 일상적인 방어기제로 사용합니다. 서로를 이해하고 수용하며, 배려하는 것과는 너무도 먼 가족 생활이 이어집니다. 질곡의 삶, 숨막힐 것 같은 긴장의 삶이 끝도 없이 이어질 뿐입니다.

중독 치료를 위해 반드시 필요한 것은 안정된 치료 환경입니다. 그것은 나라는 존재가 깊이 있게 이해되고 수용되며, 배려되는 환경을 의미합니다. 오직 그러한 환경 하에서만 이 취약성은 극복될 수 있습니다. 중독 치료에 있어 '공동체를 통한 치료'가 필요한 결정적인 이유도 여기에 있습니다.

라파공동체가 하나님의 마음으로 상처 입은 영혼들을 깊이 이해하고 수용하며, 배려함으로써 회복의 새 길을 일러주는 은혜의 장소로 널리 쓰임받기를 소망합니다.

공동체 생활을 시작하면서 형제님들에게 나타나는 공통된 반응의 하나는 잠을 푹 자는 것입니다. 밤에도 그렇고 낮잠을 잘 때도 발 뻗고 잠을 푹 잡니다. 늘 긴장된 삶을 살아왔던 중독의 굴레에서 벗어나 얼마만에 누려보는 평안인지요. 내가 그렇게 발 뻗고 잠을 자는 동안 가족들도 그런 평안을 느끼며 편안한 잠을 취합니다.

바야흐로 치료가 시작되는 순간입니다.

축복, 양도할 수 없는 권리

누구나 축복받은 인생이 되기를 원합니다. 축복은 받는 것입니다. 그것은 위로부터 오는 것입니다. 하나님으로부터 오는 것입니다. 성경은 축복의 책입니다. 인간에 대한 하나님의 축복이 처음부터 끝까지 진술되어 있습니다. 인간을 향한 하나님의 뜻은 축복을 주는 데 있습니다. 그러므로 축복받는 것은 인간의 천부적인 권리입니다. 그 누구도 그것을 거부하거나 훼손할 수 없습니다.

알코올중독은 저주의 병입니다. 축복받지 못함으로 생긴 병입니다. 축복권은 하나님께서 부모들에게 부여하신 특권이자 의무입니다. 특히 아버지들에게 부여된 특권이자 의무입니다. 아버지로부터 축복받은 아들, 축복받은 딸들은 축복받은 인생을 살아갑니다. 축복이 축복을 낳는 법입니다. 이 땅의 얼마나 많은 아들, 딸들이 부모의 축복을 갈망하고 살아가고 있는지요.

축복받지 못한 자녀들은 자신의 인생을 한없이 초라하게 생각합니다. 열등감과 수치심이 내면에 자리 잡기 시작합니다. 축복받지 못한 자녀들은 그렇게 해서 인정중독자가 되어 갑니다. 남의 인정이나마 받아야 자신이 괜찮은 존재라고 느끼기 시작하는 것입니다. 축복받아야 할 인생이 저주받은 인생이 되기 시작합니다.

단주 6개월이 넘어설 때 회복자들은 인정중독과 지독한 투쟁을 벌여야 합니다. 한편으로는 더 잘해야 한다는 부담감이 엄습하고, 다른 한편으로는 은근히 나의 단주를 누가 칭찬해 주고 인정해 주기를 바랍니다. 요컨대 밖으로부터, 누군가가 나를 인정해 주기를 갈망합니다. 누군가가 나를 인정해 줄 때 나는 살아있는 것 같고, 잘하고 있는 것 같은 느낌이 듭니다. 자존감이 올라갑니다. 그러나 아무도 나를 인정해 주는 것 같지 않을 때 불안이 엄습합니다. 뭔가 잘못되고 있는 것 같은 느낌이 들면서 초조해지기 시작합니다. 더 잘해야 한다는 강박감이 생활을 압도하기 시작합니다. 내가 좀 더 노력하면, 더 열심히 하면 사람들이, 가족들이 나를 인정해 줄 거라고 생각하며 그에 따라 행동합니다. 시간이 지날수록 주변의 반응에 민감해지고, 사소한 것에도 예민하게 반응하기 시작합니다. 스트레스 지수가 급격하게 치솟습니다. 그런다고 해서 내가 원하는 인정이 밖으로부터 주어지지도 않습니다.

마침내 회복자들은 그 끝에서 자신을 놓아버립니다. 아무리 애써도 사람들이 나를 알아주지 않는 것만 같아 그들은 다시 옛날의 자기로 돌아갑니다. 그래, 나는 결국 그런 존재일 뿐이야. 아무리 노력해도 나는 인정받지 못할거야. 어느새 그 패배감과 무력감의 손끝에 술잔이 들려 있습니다.

6개월 이상 단주한 몇몇 형제님들이 인정중독의 후유증을 겪고 있습니다. 이제 그들은 자기가 자기를 인정하는 것을 배우게 될 것입니다. 그리고 그것으로 이미 충분하다는 것을 깨닫고 체험하게 될 것입니다. 밖으로부터가 아닌 자기 자신의 내부로부터 자기 존재감을 확인하고 자랑스러워 하는 진정한 자존감을 찾게 될 것입니다. 그리스도를 믿는 회복자들은 이제 하나님의 자녀가 되었기 때문입니다. 하나님께서 그들을 날마다 축복해 주고 계시기 때문입니다. 이제 더는 사람의 눈치와 인정을 목말라 할 필요가 없기 때문입니다. 하나님께서 "너희는 내 아들이다. 내가 너희를 낳았다”고 말씀하십니다. “하늘에 속한 모든 신령한 복”을 주시겠다고 말씀하십니다.

말씀대로 이루어지기만을 우리가 고대할 따름입니다.

아버지로 죽고 싶습니다

“내 생애 마지막 소원이 있다면 그것은 아버지로 죽는 것이었습니다.”

오늘 피어 그룹 미팅(마시고 있을 때와 회복하고 있을 때의 자신을 정직하고 진솔하게 돌아보고 고백하는 동료 모임) 시간에 J형제님이 2년 5개월간에 걸친 단주회복의 삶을 돌아보면서 그가 라파공동체에 입소하던 2008년 4월, 자신의 마음 밑바닥에 있던 간절한 열망은 아버지로 죽는 것이었다고 고백했습니다.

술로 인해 모든 것을 잃었지만 가장 서글픈 것은 그가 아버지의 자리를 잃어버린 것이라고 했습니다. 60여 성상을 살아오면서 아버지는 그의 마음속에 있는 범접할 수 없는 그 무엇이었습니다. 사랑도 아니고 존경도 아닌, 그렇다고 그리움도 아닌, 그러나 채워지지 않는 그 무엇이었습니다. 공동체 치유과정을 통해 내면의 깊은 곳을 성찰한 후에 형제님은 자기 마음속에는 ‘아버지의 자리’가 없었노라고 고백하기에 이르렀습니다. 자기 마음속에 아버지가 없었는데, 술 마시고 허랑한 세월을 보냄으로써 그 자신도 결국 자기의 자식들에게 텅빈 아버지의 자리를 물려주기에 이르렀습니다. ‘아버지로 죽고 싶다’는 간절한 열망은 여기로부터 비롯된 것이었습니다.

최근 출간된 회고록에서 김대중 대통령은 자신의 친모에 대해 "우리 어머니는 작은 댁이었다"라고 고백함으로써 평생에 걸쳐 꽁꽁 묻어두었던 출생의 비밀을 밝힌 바 있습니다. J형제님의 생애도 그와 비슷했습니다. 그는 손이 귀한 집의 막내였습니다. 그가 씨받이 작은 댁이었던 생모의 품을 떠나 아버지의 집으로 들어온 것은 3살 때였다고 했습니다. 초등학교 어느 땐가 그는 우연히 자기의 출생의 비밀을 알아챘다고 했습니다. 그 때부터 그 사실은 그가 죽어 무덤에 갈 때까지 결코 입밖에 내서는 안 되는 마음의 비밀이 되었습니다. 아버지는 좋은 분이었지만 늘 먼 거리에 계셨다고 했습니다. 가까이 하고 싶지만 왠지 가까이 하기엔 너무 먼 당신이셨습니다. 그 아버지가 돌아가셨을 때 그는 14살이라고 했습니다. 언젠가 프로그램 시간에 J형제님은 아버지의 장례식에 얽힌 이야기를 들려준 적이 있습니다. 아버지의 장례를 치를 때 그는 아버지의 상여를 따르면서 상여 바로 뒤 상주인 아들의 자리, 바로 자기의 자리를 누구에게도 빼앗기지 않으려고 기를 쓰고 그 자리를 지키려 앞으로 나아가고 또 나아갔다고 했습니다. 이미 자기보다 10~20년 연배가 높은 사촌들이 긴 걸음으로 성큼성큼 걸을 때 J형제님은 작은 걸음을 재게 놀려 그 사촌들에게 상주의 자리를 빼앗기지 않으려고 안간힘을 썼다는 것입니다. 그가 자기 자신의 출생의 비밀을 안 순간부터 그는 존재의 불안을 안게 되었습니다. 자기 자리를 누가 차지할 것만 같은 두려움, 자수성가하여 풍족했던 아버지의 재산을 누군가가 빼앗아갈 것만 같은 두려움에 소리 없이 떨어야 했습니다. 그리고 그 불안은 그를 알코올중독으로 이끈 가장 깊은 원인이 되었습니다. 알코올중독에 깊이 빠지면 빠질수록 그는 아버지를 그리워했습니다. 아버지가 조금만 더 사셨더라면, 조금만 더 사셨더라면…. 그것은 이루어질 수 없는 비원이 되어 그를 더 깊은 좌절 속으로 몰아만 갔습니다. 아버지의 빈자리는 메꾸어지지 않았고 어느새 J형제님 자신이 아버지가 되어 또다시 자식들에게 아버지의 빈자리를 만들어 주고 있었던 것입니다.

단주는 놀라운 축복입니다. 지난 달 J형제님은 둘째 아들을 결혼시켰습니다. 둘째 아들 결혼은 J형제님의 올해 10대 소망 중의 하나였습니다. 신실하신 하나님께서는 그의 기도를 들어 주셨습니다. 결혼식장에서 만난 J형제님의 얼굴에는 행복한 미소가 가득 넘치고 있었습니다. J형제님이 아버지의 자리에 굳건히 서있는 모습이 참으로 보기에 좋았습니다. 도저히 이루어질 것 같지 않았던 그 간절한 꿈이 단주를 통해이렇게 실현되고 있는 것입니다. 요즈음에는 큰아들한테서 집안의 대소사 문제를 상의하는 전화가 오기도 합니다. 얼마 전에는 엄마 문제를 상의하기도 했답니다. 세상에! 이 집안의 '문제'는 언제나 아버지인 나자신에게 있었는데, 큰아들이 나의 문제가 아니라 엄마의 문제를 놓고상의를 해왔더라는 것입니다. 바야흐로 J형제님이 아버지의 자리로 영광스럽게 귀환하고 있는 것입니다.

"하나님, J형제님에게 친히 아버지 되어 주셔서 감사합니다. 그의 빈자리를 사랑으로 가득 채워주시고, 마침내 그가 그렇게 간절히 원했던 아버지의 자리를 되돌려 주시니 감사합니다. 하나님은 정녕 우리 모든 회복자들의 영원한 아버지이십니다."

죽어야 낫는 병.

알코올중독자들이 흔히 말합니다.

"이 병, 못 고쳐! 죽어야 낫는 병이야!"

이 말은 사실일까요? 사실이 아닙니다.

알코올중독은 고칠 수 있고, 고쳐서 얼마든지 새로운 삶, 생생한 삶을 살 수 있습니다.

그러나 중독의 치료에는 매우 깊은 중층의 함의가 숨겨져 있음을 잊지 말아야 합니다. 수많은 알코올중독자들이 "이 병 못 고쳐! 죽어야 낫는 병이야!"라고 말할 때, 어떤 이는 자포자기의 심정으로 그렇게 말하기도 하고, 어떤 이는 자기의 음주를 합리화하기 위해 그렇게 말하기도 합니다. 또 어떤 이는 살고 싶은 간절한 희구를 그렇게 표현하기도 합니다. 그리고 아주 역설적이게도 이 말은 사실이 되기도 합니다. 정말로 죽어야 이 병을 고칠 수 있다는 말씀입니다.

"한 알의 밀알이 땅에 떨어져 죽지 아니하면 한 알 그대로 있고 죽으면 많은 열매를 맺는 것"(요12:24)처럼 알코올중독자들도 자기가 죽어야 다시 살게 되고 회복되어 많은 인생의 열매를 거두는 삶을 살아갈 수 있습니다.

죄악된 자기가 죽어야 합니다.

중독된 거짓 자기가 죽어야 합니다.

그래야 참자기가 살아날 수 있습니다.

죽음 없이는 새로운 생명의 탄생도 없습니다.

성경은 그래서 옛 사람을 벗어버리고 새 사람을 입으라고 말합니다.

"너희는 유혹의 욕심을 따라 썩어져 가는 구습을 따르는 옛 사람을 벗어
버리고 오직 너희의 심령이 새롭게 되어 하나님을 따라 의와 진리의 거룩
함으로 지으심을 받은 새 사람을 입으라" 엡 4:22~24

중독의 치유과정은 죽음과 생명, 부활에 관한 한편의 드라마입니다.
중독된 거짓 자기가 죽는 애통한 과정이고, 참 자기로 다시 태어나 회복
의 은혜의 길을 걷게 되는 생명 부활의 장엄한 과정이며, 말할 수 없는
감동이 있는 신비의 과정입니다.

중독 치유자의 삶도 이와 같습니다.

중독자들과 연합하여 그들의 죽음에 동참하고 그들의 부활에 참여
하는 삶입니다. 그것은 곧 그리스도와 연합하여 그리스도와 함께 십자
가에 못 박히고, 그리스도와 함께 십자가 위에서 부활하는 십자가의 삶
이기도 합니다.

2011년 새 해를 일관할 하나님의 말씀은 갈라디아서 2장 20절의 말
씀입니다.

"내가 그리스도와 함께 십자가에 못박혔나니 그런즉 이제는 내가 산 것
이 아니요 오직 내 안에 그리스도께서 사시는 것이라. 이제 내가 육체 가
운데 사는 것은 나를 사랑하사 나를 위하여 자기 자신을 버리신 하나님
의 아들을 믿는 믿음 안에서 사는 것이라."

새해 첫 신앙훈련도 유기성 목사님의 "나는 죽고 예수로 사는 사람"으로 시작합니다. 그 놀라운 일이 우리 모두에게 일어나 나의 옛 사람이 죽고 오직 그리스도 예수로만 사는 새 인생이 활짝 꽃피는 새해가 되기를 소망합니다.

3부

공동체

살아가는 이야기

거긴 가게 없나요?

이 사역을 감당하면서 어렵고 힘든 때가 많이 있는데 그중의 하나가 헤어진 가족들과 전화할 때입니다. 전화선을 타고 전해져 오는 두려움과 불안, 분노, 불신, 적개심 등에서 쏟아져 나오는 싸늘한 냉대를 받아들이기가 참으로 고통스럽습니다.

지난주 H형제님의 자매님과 세 번째 통화를 했습니다. 처음과 두 번째 통화 때보다도 좀더 편하게 통화할 수 있어서 좋았습니다. 그러나 여전히 경계와 의심, 두려움의 감정이 묻어나고 있었고 그 감정들을 가시게 할 수는 없었습니다.

많은 사람들이 치유공동체에 대해서 알지 못하고, 더욱이 라파공동체가 개방형 치유공동체란 사실을 알지 못하기 때문에 이곳에서의 단주를 폐쇄병동에서의 그것과 같이 취급하는 경향이 많이 있습니다. 오히려 개방형 치유공동체란 사실이 가족들을 더 불안하게 하기도 합니다.

"거긴 가게가 없나요?"

남편이 9개월 동안 자유롭게 생활하는 가운데 술을 끊고 있다는 소식을 듣고 아내가 불쑥 이렇게 묻더군요.

내 남편이 자유로운 가운데 술을 끊고 있다는 사실을 도저히 받아들일 수가 없기에 혹시 그곳에는 술을 파는 슈퍼와 같은 가게가 없기 때문이 아니냐고 묻고 있는 것이지요. 그래서 저희 공동체의 홈페이지를 일러 드렸습니다. 거기에 사진이 있으니 직접 확인해 보시라구요.

라파공동체는 개방형 치유공동체입니다. 모든 분들의 출입이 자유롭습니다. 한마디로 라파의 공기는 자유롭습니다. 그 자유가 술을 끊을 수 있는 산소와 같은 것임을 우리는 믿습니다. 그 누구의 강요에 의해서가 아니라 자유한 가운데 내 자신의 결단으로 술을 끊어갑니다. 진정한 단주는 자유 속에서 보장되는 것입니다.

라파공동체는 대전시 중구 주택가에 있습니다. 대전의 중심가인 은행동까지 걸어서 15분이면 갈 수 있습니다. 대문만 나서면 슈퍼가 줄지어 있고, 보문산 입구에 술집과 음식점이 즐비한 곳입니다. 바로 그곳에서 오늘도 우리 형제님들은 자랑스럽게 단주생활을 유지하고 있습니다.

라파 근처엔 가게가 참 많습니다.

그러나 우리는 오늘도 선악과를 따먹지 않습니다.

나는 내 자유로 그렇게 결단하였습니다.

알코올중독자 아내가 이 세상에서 제일 무서워하는 것은 호랑이도 곶감도 아닙니다. 그것은 가게입니다. 술 파는 가게!

50대에게 희망을

인생 오십이면 지천명이라고 합니다. 자기의 천명을 알고 이에 따라 지혜롭고 슬기롭게 인생을 살아가는 나이란 뜻이겠지요. 사람 나이 오십이 되면 이렇게 되었으면 좋겠다는 희구의 표현일지도 모릅니다.

그러나 50대의 알코올중독자를 만나보면 현실은 그 말로부터 얼마나 멀리 떨어져 있는지를 확연히 깨닫게 됩니다. 천명을 알기는커녕 자기 자신조차 알지 못하고 자기를 황폐시키고 죽음으로 몰고 가고 있는 술을 벗 삼아 외롭고 쓸쓸하게 죽음을 향해 가고 있는 것이 50대 알코올중독자들의 슬픈 현실입니다. 가족도 떠나고, 친구들도 다 떠난 텅 빈 자리에 홀로 남아서 말이지요.

그 텅 빈 마음속에는 지독한 회한과 억울함, 원망, 분노, 무기력, 수치심, 죄책감 등이 똬리를 틀고 앉아 있기에 늙은 중독자들은 그 어떤 변화도 거부하고 점점 더 완고한 사람으로 변해갑니다.

"이 나이에 이제 술을 끊어서 뭣하리. 그냥 살자. 이렇게 살다가, 이렇게 마시다가 죽자."

이런 마음으로 대부분의 50대 알코올중독자들은 살아갑니다. 희망을 잃어버리고 자포자기한 심령으로 살아가는 그분들이 치료받고 회복의 길에 들어선다는 것은 낙타가 바늘귀로 들어가는 것만큼이나 어려운 일입니다.

언제부턴가 제 마음 속에서도 이들 50대 이상의 알코올중독자들에 대한 치료를 포기하는 마음이 생겼습니다. 똑같은 에너지라면 그래도 조금이라도 가능성 있는 사람들, 한 살이라도 더 젊은이들에게 쏟아 붓자는 마음이었습니다. 그래서 한동안은 50대 이상 형제님들의 입소를 불허하여 왔습니다. 그러나 이달 들어 두 분의 50대 형제님들을 맞이하게 되었습니다. 간곡하고 간절한 입소 요청을 뿌리칠 수가 없었기 때문입니다. 새로운 50대 형제님들을 입소시키면서 제 마음속에 하나님의 음성이 조용히 들리는 듯 했습니다.

하나님께서 한계를 지어 주신 것도 아닌데 제 스스로 한계를 짓는 죄를 범한 것만 같아 죄송한 마음도 들었습니다. 50대 알코올중독자들을 위한 하나님의 희망의 치유 사역이 이제 막 시작되려나 봅니다. 제가 할 수 없는 것을 주님께서 이제 이루어 주시려나 봅니다.

라파공동체를 통해 50대 이상의 알코올중독자 형제님들이 치유되고 회복되는 놀라운 일들이 해마다 거름없이 풍성히 이루어지기를 간절히 기도합니다.

"주님, 주님께서 하실 수 있는 일들을 제가 임의로 제한하는 죄를 범치 아니하겠습니다. 주님의 뜻이 지금, 여기에 이루어지게 하옵소서."

이 때 이후 라파공동체의 입소조건에서 연령 제한은 사라졌습니다. 오히려 그 이후 여러 명의 60~70대 형제, 자매님들이 중독에서 벗어나 자유를 찾았습니다. 깨끗한 몸과 영혼을 가지고 가족 앞으로, 궁극적으로는 주님 앞으로 돌아가는 것이 얼마나 소중한 것인지, 노령중독자 치유사역의 소중함을 더욱 알게 되었습니다.

그가 나의 이름을 불러 주었을 때
김춘수 시인의 「꽃」이라는 시의 한 구절입니다.

내가 그의 이름을 불러 주기 전에는
그는 다만 하나의 몸짓에 지나지 않았다.
내가 그의 이름을 불러 주었을 때,
그는 나에게로 와서 꽃이 되었다.

중독으로부터의 회복은 자기 이름을 찾아가는 과정이라고 말할 수 있습니다. 자기 이름을 찾아간다는 것은 자기 존재의 의미를 찾아간다는 것입니다. 자기 존재의 의미를 찾아간다는 것은 또한 자기 인격의 존엄성을 찾아간다는 것입니다. 중독이 깊어 가면 갈수록 언젠가부터 우리의 이름은 저주의 이름이 되었습니다. 가족과 친지들이 나를 저주하였고, 결국은 나 자신도 스스로를 저주하기 시작했습니다. 내 이름이 불릴 때는 비난의 때였거나 질책의 때였습니다. 그럴 때면 차라리 아무 이름도 없는 무명씨가 되었더라면 하고 바랐던 적도 한두 번이 아니었습니다.

단주 회복의 길을 걷다보면 어느 날 누군가가 나의 이름을 불러 주는 소리를 듣게 됩니다.

영수야!

철수야!

미자야!

아아, 아직 나의 이름은 살아 있습니다. 그리고 나도 살아 있습니다. 나의 이름은 이제 더는 저주의 이름이 아니라 살아있는 아름다운 생명의 이름이 되었습니다. 누군가가 아무런 편견 없이 있는 그대로의 모습으로 나를 보아주고 내 이름을 불러 줄 때 어느새 나는 그에게로 다가가 그의 꽃이 됩니다.

지난주 저희 공동체를 찾아와 아름다운 간증과 찬양을 들려주신 '아름다운 공동체'의 형제 자매님들이 그리스도 안에서, 그리스도의 이름으로 한 가족이 되어 우리 형제님들의 이름을 불러 주었습니다. 다정스런 누이가 되고, 친구가 되어 S형제, J형제의 이름을 불러 주었습니다.

맑은 정신으로, 얼마 만에 들어보는 나의 이름이었는지요. 그들이 불러주는 나의 이름은 이 세상에 하나밖에 없는 가장 고귀한 이름이었습니다. 그들이 나의 이름을 불러줄 때 비로소 나는 나의 존엄을 되찾는 기분이었습니다.

그렇습니다.

나는 이 세상에 하나밖에 없는

존귀한 자요, 고귀한 자였습니다.

하늘에 계신 하나님의 귀하고 귀한 자녀였습니다.

우리를 불러 주시고

자녀 삼아주시고

이름을 되찾아 주신 주님께 감사할 따름입니다.

내 이름을 깨끗이 지키며 보존하고 싶을 따름입니다.

도둑 술

얼마 전 대전교도소에 복역 중인 한 형제님으로부터 편지가 왔습니다. 그 형제님은 자신도 알코올중독자였는데 하나님의 은혜를 받아 구원받고 술을 끊었다고 했습니다. 그러나 첫 신앙의 열정을 어느 날부턴가 잃어버리게 되었고 지금은 영어의 몸이 되어 있다고 했습니다. 그러던 중 침례교 잡지인 성광지에 나온 사랑과 섬김의 교회 기도제목을 보고 눈이 번쩍 띄게 되어 편지를 하게 되었답니다. 알코올중독자들과 그 가족들의 구원과 치유를 위해 헌신하고 있는 교회가 있다는 사실에 감동을 받았던 것 같습니다. 감옥에서 나오면 지난날의 자기와 같은 알코올중독자들을 찾아다니며 복음도 전하고 치유를 위해 애쓰고 싶다는 사연과 함께 말이지요. 그 형제님의 소망이 이루어지길 바랍니다.

두 번째 온 편지에서 그 형제님은 "혹시 그곳에 도둑 술을 마시고 있는 분들은 없는지요? 제 경험상 술은 단번에 끊어야 되는데 그게 쉽지 않아서 그런 분들이 있을 것 같은데 어떠신지요?"하는 우려를 보내 왔습니다. 우연의 일치인지, 아닌 게 아니라 요즘 우리 공동체에 도둑 술을 마시고 있는 형제님이 한 분 계셔서 꽤나 신경을 쓰고 있는 처지였는데 말이지요.

라파공동체는 완전개방형 치유공동체입니다. 술을 마시려고 마음만 먹는다면 어느 때나 술을 마실 수 있는 환경이지요. 거의 모든 가족들이 입소 상담 시에 묻는 질문 중의 하나도 '도둑 술'을 마시면 어떡하냐는 것입니다.

라파공동체는 개방형 치유공동체이지만 다른 한편으론 자발적 입소를 원칙으로 하고 있습니다. 이 두 원칙은 서로 연결될 수밖에 없는 원칙이지요. 만일 누군가가 강제로 입소하였다면 그 분이 공동체를 뛰쳐

나가 술을 마시리라는 것은 불을 보듯 빤한 일이니까요. 그러나 자발적으로 입소한 형제님들이 제발로 걸어 나가 술을 마시고 들어오는 일은 거의 없습니다. 지금까지 라파공동체에서 몰래 마시는 도둑 술 문제로 골머리를 앓아본 적은 많지 않았습니다.

그런데 요즈음 한 형제님이 도둑 술을 마시고 있어 공동체를 긴장시키고 있습니다. 라파공동체에선 단 한 방울의 술도 마시는 것이 허용되지 않습니다. 지금까지 도둑 술을 마시는 형제님들이 없었던 이유는 도둑 술을 마시는 것조차도 알코올중독자들에게는 드문 일이기 때문입니다. 알코올중독자들은 음주조절력을 상실했기 때문에 일단 첫 잔을 입에 댔다 하면 그 자리에서 끝장을 보는 것이 일반적이기 때문에 숨어 가면서 도둑 술을 마시는 것조차도 쉽지 않기 때문입니다.

도둑 술을 마신 형제님의 행동은 한편의 '비극적 희극'을 보여줍니다. 술 마신 것을 은폐하기 위해 일부러 너스레를 떨고 과장된 행동을 합니다. 술냄새를 은폐하기 위해 멀찍이 떨어져 앉는가 하면, 함께 하는 프로그램에 이 핑계 저 핑계를 대고 빠지려 합니다. 그러면서 그 자신은 자기가 술 마신 사실이 잘 은폐되고 있다고 생각합니다. 그가 술 마신 사실을 은폐하려고 과장된 행동을 하면 할수록 그의 음주는 더욱 더 드러나게 마련인데 정작 당사자는 그것을 인식하지 못합니다.

참다못해 형제들을 모아 놓고 그의 음주 사실을 직면시킵니다. 그러나 이 형제님은 '모르쇠'로 일관합니다. 자신은 절대로 술을 마신 적이 없다고 주장합니다. 술 냄새가 이렇게 나지 않느냐고 물으면 그것은 방금 전에 먹은 약 냄새라고 말합니다. 목젖이 왜 이렇게 붉으냐고 말하면

햇볕을 쬐서 그렇다고 대답합니다. 그 철저한 모르쇠 전략에 어떤 때는 혀를 내두를 때가 있습니다. 아무리 닭발인 증거를 대도 끝까지 그것은 오리발일 뿐입니다.

그 처절한 부인(denial)이 애처롭습니다. 눈물겹기까지 합니다. 그 처절한 부인의 근저에는 대개 수치심이 깔려 있습니다. 도둑 술 마셨다는 사실이 수치스럽고 그렇게 행동할 수밖에 없는 자기 자신이 수치스럽습니다. 그 수치를 드러내느니 차라리 모르쇠로 일관하는 게 더 나을 성싶어 그는 그렇게 행동합니다. 공동체 형제들과 스탭들, 가족들에 대한 미안함이 또 하나의 이유가 됩니다. 차마 내 입으로 도둑 술을 마셨다고, 인두겁을 쓰고는 말할 수 없는 것입니다.

정직해야 한다는 것을 누가 모를까요? 그러나 정직하게 말하기에는 내면의 수치심과 미안한 마음이 너무도 크기에 그는 부인의 전략을 채택하고 마는 것입니다.

도둑 술을 마시는 형제님들을 치유하는 것은 그렇지 않은 형제님들에 비해 더 어렵습니다. 거짓이 일소되지 않는 한 치유는 불가능합니다. 치유는 진리 안에서, 빛 가운데서 일어나는 것이기 때문입니다.

땡칠이 양육회의의 전말

7개월 된 땡칠이가 발정이 났습니다.(땡칠이는 라파공동체에서 기르고 있는 강아지의 이름입니다) 뉘집 개인지도 모를 아가씨 개들이 땡칠이와 연애하려고 느닷없이 공동체 안팎으로 출몰하기도 합니다. 어떻게든 한번 해보려고 하는데 뭔가 아직 잘 안되는 모습입니다.

요즈음 공동체의 주요 관심사의 하나는 땡칠이 문제입니다. 땡칠이를 어떻게 양육해야 할지에 대해 갈팡질팡 말들이 많습니다.

　아비는 많지만 정작 필요한 단 한 사람의 아비가 없는 게 문제인 것 같습니다. 땡칠이를 기르는 데 일관된 양육 원칙이 없으니 녀석이 점점 비루먹은 강아지처럼 사람들의 눈치를 보고 있습니다.

　사람들이 귀찮아질 때면 녀석은 보문산을 놀이터 삼아 하루 종일 놀다가 들어오곤 합니다. 보문산을 제 앞마당 삼아 뛰노는 땡칠이는 야생견을 방불케 합니다. 그러다가 집에 들어오면 땡칠이는 주눅이 듭니다. 누구의 말을 따라야 하는지가 불분명하기 때문입니다. 우리들 가운데 일관된 양육지침을 가지고 있지 못하기 때문입니다.

　"개는 개다워야 한다"고 다들 생각하지만 정작 개답다는 것의 기준이 무엇인지 혼란스럽습니다.

　땡칠이를 개격(?)을 잘 갖춘 개로 성장시키기 위해서 이제 땡칠이 훈육지침을 마련할 때인 것 같습니다. 개격을 논하는 가운데 우리는 우리의 인격을 보게 될 것입니다.

　지난주 목요일 땡칠이 양육회의가 열렸습니다. 이 회의를 열게 된 일차적인 목적은 금주부터 시작되는 대상관계이론 교육 및 상담을 위한 준비에 있었습니다. 모든 생명 있는 것들에 대한 우리의 반응에는 대상관계 경험의 흔적들이 많이 남아 있기 마련입니다. 땡칠이에 대한 우리 각 사람의 반응을 통해 대상관계적 관계 경험의 원형을 탐색하기 위해서였습니다. 물론 이차적인 의미는 우리의 귀여운 땡칠이를 개격을 갖춘 개로 바르게 기르기 위함이었지요. 역시나 회의 벽두부터 서로 다른 의견과 생각들이 속출하였습니다.

땡칠이를 보며 여름 복날을 그리는 형제님이 있는가 하면 떨어져 있는 내 자식을 보는 마음으로 대한다는 형제님도 계셨습니다. 공동체에서 개를 기르는 것에 대해 반수 이상이 반대하는 입장을 가지고 있었습니다. 땡칠이를 유성장에 나가서 사오기 전에 먼저 공동체 성원들의 동의와 합의가 있었으면 좋았을 것을… 하는 생각이 들었습니다.

회의를 거쳐 땡칠이에게 한 명의 아버지가 필요하다는 점에 의견을 모았고, M형제님이 그 역할을 맡기로 했습니다. 땡칠이의 버릇을 바르게 잡는 일도 아버지가 행하기로 결정하였고, 개별적으로 땡칠이에게 먹을 것을 주는 행위를 하지 않고 아버지를 통해서 주기로 결정했습니다.

땡칠이의 행동 경계도 새로 정했습니다. 사람들이 거주하고 활동하는 공간에 땡칠이의 출입을 금하기로 결정했습니다. 그리고 그 훈육 역시 아버지가 전담하여 맡기로 결정했습니다.

다른 형제님들은 전적으로 땡칠이를 귀여워하고 사랑하기로 했습니다. 복날을 그리는 음흉한 눈빛은 삼가기로 했습니다. 또한 느닷없이 땡칠이 뒤통수를 때린다거나 하는 일도 금하기로 결정했습니다.

양육회의가 순조롭게 잘 끝나가던 와중에 Y형제님의 심각한(?) 제의가 들어왔습니다. 땡칠이 이름에 대해 여러분들은 어떻게 생각하느냐는 것이었습니다. 여러 사람들이 똥개 이름이 다 그렇지 뭐가 문제냐는 듯한 표정을 지어보였습니다. 그러자 Y형제님 왈, "땡칠이란 이름이 너무 수치스러워서 밖에 데리고 나가면 그 이름을 사람들 보는 데서 도저히 부를 수가 없다"는 것이었습니다. 그러자 새 아버지로 임명된 M 형제가 거들고 나섰습니다. 자기도 그 이름이 수치스러운 느낌이 들어서 그냥 "땡"이라고 부른다면서 말이지요. 이 문제에 대해 여러 사람들이 각자의 의견을 피력하였습니다만 땡칠이란 이름을 계속 사용하기로 하였습니다.(그 이름은 공동체에 함께 살고 있는 지적장애인인 K 형제가 붙여준 이름이었습니다)

정작 그 회의를 통해 은혜를 받은 것은 Y 형제님이었던 것 같습니다. 역기능 가정에서 자라면서 형성된 수치심이 자신의 내면에 얼마나 강력히 들러붙어 있는가를 다시금 확인한 귀중한 시간이 되었습니다.

비록 발발이 똥개지만 부드러운 털빛과 기품 있는 외모는 땡칠이의 자랑입니다. 녀석의 이름이 땡칠이면 어떻고 땡팔이면 어떻습니까? 우리가 그 녀석을 사랑하고 귀여워하면 되는 것 아니겠습니까? 남들이 뭐라 생각하든 그것이 무에 그리 대수가 되겠습니까?

나는 나로서 존귀한 존재입니다. 땡칠이도 땡칠이로서 존귀한 존재입니다. 그것이 귀한 진리입니다. 우리 모두는 하나님이 손수 지으신 존귀한 존재들입니다. 이 세상의 그 어떤 것도 그 존귀로부터 우리들을 갈라 놓을 수 없습니다.

라파의 영성

언제나 단주파티가 끝나면 하나님의 은혜가 우리 가운데 있고 하나님은 여전히 우리 곁에 머물고 계심을 느끼게 됩니다. 매월 진행되는 단주파티를 통하여 생명의 축제, 회복의 축제, 사랑의 축제를 경험케 하시는 우리 주님께 감사합니다.

지난날 중독으로 죽었던 심령들이 하나둘 죽음을 털고 일어나 사랑을 노래하는 장면들이 얼마나 아름다운지요.

지난날의 죄와 허물에 대한 애통함이 울려 퍼지고 서로를 향한 용서가 선포되며, 속 깊이 감추어져 있던 사랑이 눈물 속에 모습을 드러내고, 내일에 대한 소망이 은은한 빛을 발하는, 이 단주파티를 통해 우리 모두는 주님 안에서 하나가 됩니다. 그리고 거기에서 라파의 영성은 빛을 발합니다.

영성이란 무엇입니까? 하나님과 우리가 관계를 맺고 있음을 의미하는 것입니다. 하나님을 깊이 알아가는 것입니다. 하나님을 진심으로 믿는 일입니다. 하나님을 더욱 충실히 닮아가는 일입니다. 그리고 하나님의 임재 가운데 거하는 일입니다.

그리하여 하나님의 뜻이 하늘에서 이루어진 것같이 우리 가운데 이루어지는 일입니다. 하나님에 대한 사랑과 섬김이, 사람에 대한 사랑과 섬김이 흘러 넘치는 것입니다.

어김없이 새해 첫 단주파티를 통해 라파의 영성이 영롱하게 빛을 비추었습니다. 주님께서 제게 하나의 소원을 말하라 하시면 "주님, 저희 라파공동체가 영성 있는 공동체가 되게 해 주세요." 그렇게 말하고 싶습니다.

실로 그것이 제 마음의 단 하나의 소원입니다.

명절풍경

　내일모레면 민족의 명절 추석입니다. 알코올중독자들이 느끼는 추석은 그 병의 진행 정도에 따라 서로 다릅니다.

　중독에 막 입문하던 시기에 추석은 그야말로 행복한 추석이었습니다. 온 세상이 곤드레 만드레 취하고 나도 그 속에 함께 있을 수 있어서 좋은 추석! 술을 박스째 준비해 놓고 그것을 자유롭게 마음껏 마실 수 있다는 생각만 해도 마음이 마냥 행복하기만 했던 그런 시절이 있었습니다. 그때는 아무도 나를 중독자로 바라보지 않았었습니다. 세월이 가고 중독은 깊어져 중기에 접어들었을 즈음, 이제 추석 명절은 중독자 자신에게나 가족들에게나 공포로 다가오기 시작합니다. 술을 둘러싼 숨막히는 긴장이 둘러앉은 가족들 속에 팽팽히 흐를 때의 그 곤혹스러움, 가족들이 보내는 "너는 마시면 안 돼!"라는 무언의 메시지를 수신하면서도 "음복쯤은 해도 괜찮잖아"라고 맞서는 중독자의 저항이 이루는 그 팽팽한 긴장은 차라리 명절이 없기를 바라는 마음으로 이어지곤 했습니다. 그리고 마침내 그 음복의 한 잔이 뇌관이 되어 만신창이가 된 중독자를 바라보는 가족들의 허탈한 시선이란… 이번 명절만큼은 술 없이 보내고자 맹세하고 맹세를 거듭했지만 무너져 내린 자기 자신을 돌아보아야 하는 이 끔찍한 패배감이란….

　중독 말기가 되어 가족들이 떠나고 친구마저 떠나고 내 주위에 아무도 없는 절대 고독 속에 있을 때도 명절은 어김없이 찾아오는 법입니다. 지난날 단란했던 가족들의 모습이 떠오를 때면 가슴은 미어지고, 그리움은 시린 가슴을 후벼 팝니다. 돌아가고 싶지만 돌아갈 곳이 없는 명절, 가도 아무도 반기는 이 없는 명절은 차라리 오지 않느니만 못합니다. 가족들은 가족들대로 빈자리가 못내 짐이 되고 아픔이 되어 그를 빼고 우리끼리 즐길 수 없어 서둘러 헤어지고 맙니다. 누구나 다 그의 안위를 걱정하지만 아무도 그에 대해 이야기하지 않습니다. 가족들은 그렇게 그 슬픈 가족사를 가슴에 묻고 서둘러 각자의 집으로 돌아가지요. 중독자와 그 가족들의 명절의 풍경은 이와 같습니다.

그러나 회복자와 회복자 가족의 풍경은 이와는 다릅니다. 거기에는 새로운 희망이 있고, 깊은 회개의 마음을 갖고 가족 앞에 자기를 낮춘 회복자가 있습니다. 돌아온 그를 넉넉한 마음으로 받아들이며 격려를 아끼지 않는 가족들이 있습니다. 죄가 깊은 곳에 은혜가 깊듯이 회복자들의 가족이 맞는 명절은 옛날의 그 명절이 아닙니다. 고통이 깊었던 만큼 기쁨도 두 배가 되고, 훈훈한 사랑도 두 배가 됩니다. 공평하신 하나님께서 모든 고통 받는 자들에게 예비해 놓으신 축복이 넘치고 넘칩니다.

마시지 않는 회복자들과 함께 하는 라파의 추석에는 행복이 넘칩니다. 감사가 넘칩니다.

"이 좋은 날 아침, 우리를 불러 주시고 세워 주시고, 깨어진 모든 가족관계도 장차 다 화목케 해 주실 화목자 되시는 주님을 찬양합니다."

닭살 돋는 사랑
라파공동체에서 가장 많이 회자되는 단어는 뭐니 뭐니 해도 '사랑'일 것입니다. 라파공동체가 사랑에 살다 사랑에 죽는 공동체가 되었으면 참으로 좋겠습니다.

금슬 좋은 커플이나 부부를 보고 흔히들 닭살 커플이라고 합니다. 닭살은 추울 때나 공포를 느낄 때 몸과 마음의 한기로부터 우리 몸과 마음을 보호하기 위해 나타나는 신체적 반응입니다. 그런데 이 닭살이 너무 사이좋고 금슬 좋은 커플을 볼 때도 나타나는 모양입니다.

한국의 7080이상의 남자들 가운데 평생 '사랑'이란 단어를 단 한 번도 입에 올려 본 적이 없는 사람이 적지 않습니다. 공동체에 처음 입소한 형제님들이 가장 '닭살스러워'하는 대목도 바로 이 부분입니다. "사랑합니다. 형제님!" 하는 말에 당황해 하고 어쩔 줄 몰라 하는 모습을 초기 입소자 형제님들 속에서 예외 없이 발견하게 됩니다. "사랑은 여기에 있다"고 성경은 이야기하지만 알코올중독자들의 삶 속에서 사랑은 "여기가 아닌 저기 어딘가"에 있는 그 무엇일 뿐입니다.

사랑은 경험되는 것입니다. 온 몸과 마음으로 경험되는 것입니다. 그것은 머리로 깨달아 아는 것을 넘어서는 전인격적 경험이자 체험입니다. 그것은 너와 우리의 체험이 아니라 바로 나의 체험이어야 합니다. 그 개인적인 사랑, 나 자신에게만 집중된 사랑을 경험하지 못한 사람은 사랑을 모르는 사람이 됩니다. 사랑을 모르면서 사랑을 할 수는 없습니다.

사랑을 모르는 사람에게 사랑한다고 말하는 것보다 더 곤혹스러운 일은 없습니다. 그것은 용도를 알지 못하는 선물을 누군가로부터 받는 느낌일 수도 있습니다. 누군가 내게 아주 귀중한 선물을 해 주었는데 나는 정작 그 용도를 알지 못하여 답답해하는 것과 같습니다.

사랑은 친밀한 사귐입니다. 남자와 여자, 아버지와 아들, 어머니와 딸, 친구와 친구, 형제와 자매 사이에 반드시 있어야 하는 친밀한 사귐입니다. 공동체를 통하여 하나님의 은혜를 입고 병 고침을 받은 심령들이 사랑의 사도들이 되었으면 좋겠습니다. "너희는 서로 사랑하라!"는 주님의 계명에 따라 서로 마음껏 사랑하면서 주위의 사람들에게 닭살 돋게 해 주는 삶을 살았으면 좋겠습니다.

이 세상에 사랑보다 더 좋은 건 없습니다. 김세환의 노래는 그런 점에서 복음입니다.

"사랑하는 마음보다 더 좋은 건 없을걸.
사랑받는 그 기쁨보다 더 좋은 건 없을걸.
억 만 번 또 들어도 기분 좋은 말,
사~랑~해"

라헬이든 레아든

연말입니다. 내 인생의 올해의 10대 뉴스와 내년의 10대 소망을 정리하고 이를 발표하는 시간입니다. 매년 시행하는 것이지만 많은 형제님들이 올해의 10대 뉴스 중 첫 번째 것으로 '라파공동체 입소'를 꼽는 경우가 많습니다. 마시던 중독자의 삶에서 안 마시는 회복자의 삶으로의 전환이 공동체 입소를 계기로 주어진 것이기 때문일 것입니다. 새해의 소망 가운데 꼭 들어가는 것이 가족과의 화해와 재결합입니다. 술로 인해 망쳐진 가족들과의 관계를 회복하고 행복한 가정을 다시 찾는 것이 공통적인 소망입니다.

술 때문에 혼기를 놓친 형제님이나 이미 이혼의 아픔을 겪은 형제님들의 소망에는 새로운 배우자, 새 가정에 대한 소망이 늘 앞자리를 차지합니다. 그러나 연애도 아무나 하는 것은 아닙니다. 미국 AA의 경우도 그렇지만 라파공동체에서도 연애의 조건으로 최소한 단주 2년의 내공을 쌓을 것을 권장합니다. 단주에 롱런하기 위해서 넘어야 할 가장 큰 장애물은 첫째는 돈이고 둘째는 여자입니다. 회복자들의 마음에 가장 큰 유혹이요 상처가 될 수 있기 때문입니다. 그래서 이 둘을 이겨 나가야 하며 그러기 위해서는 깊은 내공이 쌓여야 합니다. 무엇보다도 여자를 대할 때 하나님의 마음으로 대할 수 있는 영적, 인격적 성숙이 갖춰져야 한다는 것입니다.

한국의 대다수 알코올중독자들의 여성관은 심히 왜곡되어 있는 경우가 많습니다. '남자는 하늘, 여자는 땅'이라는 전근대적 의식을 가지고 있는 경우도 많고, 여성을 성적 유희의 대상 정도로 생각하는 경우도 많습니다. 또 어떤 경우는 지나치게 헌신적인 아내상을 가지고 있고 이를 강요하기도 합니다. 자신의 남편으로서의 의무는 소홀히 하고 권리만 강조하는 것이지요.

회복의 삶, 치유의 삶을 가늠하는 두 가지 지표가 있다면 그것은 가정과 직업입니다. 가정을 회복하거나 새로 꾸리거나 직업 재활에 성공하는 것입니다. 지난해에는 단주 5년차 H형제님이 새로운 로맨스를 시작했습니다. 아직도 모나고 미숙한 인격 때문에 사귀는 자매에게 아픔을 줄 때도 있지만 지난날과는 비교할 수 없는 참으로 성숙한 사랑을 나누어 가고 있다고 좋아합니다.

"레아든 라헬이든 아무나 좋습니다. 진짜로 얼굴은 따지지 않습니다. 믿음의 여자면 됩니다. 저를 잘 품어줄 수 있는 연상의 여인도 괜찮습니다."

단주 5년 차에 들어서는 J형제님이 새벽 창세기 QT시간에 라헬과 레아를 얻는 과정을 묵상한 것을 나누는 중에 이렇게 말해 한바탕 웃었습니다. J형제님이 한 술 더 뜹니다. "새해 소망의 첫째도 여자, 둘째도 여자, 셋째도 여자거든요."

홀로 마시다 늙어 죽어갈 수밖에 없던 중독자들을 불러 단주케 하시고 새 가정을 꾸리게 하시는 주님을 찬양합니다. 하나님께서 정한 배필, J형제님과 한 몸 이루며 살아갈 '살 중의 살, 뼈 중의 뼈'를 J 형제님 앞으로 데려와 주시기를 간절히 기도합니다. 라헬이든 레아든 말입니다.(이듬해 J형제님은 하나님이 보내 준 믿음 좋은 아내를 얻었고, 지금은 아버지가 될 준비를 하고 있습니다)

사랑하는 사람 떠나보내기

중년의 남자들이 토해내는 속 깊은 눈물을 아시나요? 터져 나오는 눈물을 막아보려고 안간힘을 쓰지만 목젖을 울리며 토해져 나오는 그 신음 같은 눈물을 아시나요? 눈물이 나오기 시작하는 것은 치유가 전개되고 있는 가장 확실한 징표 중의 하나입니다.

어제 수요찬양모임 중에 P형제님이 눈물을 터트렸습니다. 중독자로 살아가야 하는 자신이 너무도 억울하고 속상해서, 중독으로 인해 너무도 많은 죄를 지었기에 울고 싶었지만, 울부짖고 싶었지만 차마 울지 못하고 살아왔던 삶이었을 것입니다.

대학입시에 실패해 재수 길에 접어든 하나밖에 없는 자식 뒷바라지도 못해주고 이렇게 공동체 생활을 할 수밖에 없는 자신이 원망스럽고 한스러워서 늘 마음이 무거웠습니다. 치유에 전념할 수도 없었습니다. 그러나 오늘 아침 새벽에 읽은 마태복음의 말씀이 P형제님을 빛으로 인도하였습니다.

"죽은 자들이 죽은 자들을 장사하게 하고 너는 나를 따르라"(마 8:22)는 말씀이 마음에 다가왔습니다.

주님을 따르려고 해도 자식이 마음에 밟혀서 따를 수가 없었는데, 이 중독을 고치려면 주님을 따르는 것 외에 다른 길이 없음을 알기는 하겠는데 선뜻 주님의 길을 따르지 못함도 그 자식이 마음에 밟히기 때문이었습니다. 그러나 빛으로 다가온 그 말씀을 통해 형제님은 이제 아들을 주님과 남아 있는 친척들에게 맡기고 치유에만 전념해야겠다는 결단을 내릴 수 있었습니다. 주님의 말씀에 의지해 그렇게 결단하고 나니 마음을 짓누르던 죄책감도 사라졌습니다. 주님께서 알아서 다 해 주실 것이라는 믿음이 생겼습니다. 나는 다만 오늘 여기서의 삶에 충실하고 주님을 따르는 일에 충실하면 되는 것입니다.

주님을 따르기 위해, 알코올중독으로부터 치유받기 위해 사랑했던 모든 것으로부터 떠날 필요가 있습니다. 정녕 그것이 사랑해야 할 그 무엇이라 해도 그것을 떠나야 할 때가 있습니다. 사랑하는 그 대상이 내 인생의 무거운 짐이 될 때, 치유를 향해 나아가지 못하게 하는 장애물이 될 때, 그때가 바로 떠나야 할 때입니다. 사랑을 위해 떠나야 할 때가 있습니다. 치유를 위해 떠나야 할 때가 있습니다. 사랑했던 것을 떠나 주님 앞으로 나아와야 할 때가 있습니다. 주님과의 관계가 먼저 회복되어야 할 때가 있습니다. 떠남 없이는 얻음도 없습니다.

무엇보다 단주는 그 누구를 위한 것이 아니라 바로 나 자신을 위한 것임을 잊지 말아야 합니다. 내가 먼저 살지 않고서 내가 할 수 있는 것은 아무 것도 없습니다.

내 이름을 위하여 집이나 형제나 자매나 부모나 자식이나 전토를 버린 자마다 여러 배를 받고 또 영생을 상속하리라 마19:29

주님의 말씀을 믿나이다. 말씀대로 이루어지게 하옵소서.

살아남은 자의 슬픔과 기쁨

지난 여름은 잔인했습니다. 6월에 P형제, 7월에 H형제, 8월에 K형제가 음주의 나락으로 빨려들었습니다. 단주 중인 알코올중독자가 다시 술을 마시는 것은 생명에서 사망으로 옮겨가는 것과 같습니다. 단주가 깨어지고 음주의 나락에 빠져 들었다가 곧바로 회복의 길에 들어서는 사람은 그리 많지 않습니다. 잘 단주해 오는 모습을 옆에서 지켜보며 함께 기뻐하고 즐거워한 동료들, 잃어버린 희망을 다시 주어 담기 시작한 가족들, 그들을 통해 성취의 기쁨을 맛보던 치유자들에게 술 마신 그들의 모습은 마치 죽음을 바라보는 것과 같은 상실감과 비애를 가져다줍니다.

'재발'도 치유의 한 과정일 뿐이라고 애써 자위해 보지만 그 상실감을 다 없애지는 못합니다. 상실감은 슬픔이 되고, 슬픔은 자괴감을 낳고, 자괴감은 분노를 낳습니다. 무력감, 덧없음의 감정이 더해집니다.

이럴 때는 그저 시간이 약입니다. 흘러가는 시간에 자기를 맡기고 그냥 흘러가는 것입니다. 모든 것을 주님께 다 맡기고 그냥 시간을 타고 흘러가는 것입니다. 시간과 함께 우리의 슬픔도 흐르고, 자괴감도 흐르고, 분노도 흐릅니다. 그러다 보면 어느새 우리는 새 시간 앞에 도달해 있음을 문득 발견하게 됩니다.

잔인했던 여름이 지나고 어느 날 문득 우리는 가을의 문턱 앞에 다가서 있음을 발견합니다. 그리고 잃은 것 대신 남은 것을 발견합니다.

'산 자의 하나님'께서 친히 남겨놓으신 '살아남은 자'들이 옆에 있음에 다시금 소망의 노래를 부르게 됩니다.

9월말이면 J형제님이 단주 1년이 됩니다. 옥천의 E형제님도 단주 1년을 맞이합니다. 신앙 안에서 한 형제 된 Y형제님도 단주 1년을 막 지나고 있습니다.

떠나간 자들이나 남은 자들 모두에게 주님의 은혜의 해가 고르게 비치기를 간절히 기도합니다.

남아 있으므로 우리는 슬퍼했습니다.

그러나 남아 있음으로 우리는 오늘 기뻐합니다.

수료장

라파공동체의 중독 치료 기간은 1년입니다. 이 기간을 무사히, 그리고 충실히 마치면 공동체 1년 수료장이 주어집니다. 수료장을 받고 라파공동체를 떠난 형제님들은 지금까지 잘 단주해 오고 있습니다. 어떤 형제님은 수료장을 가보로 여길 정도로 귀히 여겨 집안 가장 눈에 잘 띄는 곳에 이 수료장을 액자에 넣어 전시해 놓고도 있습니다. 그만큼 이 수료장을 받아 쥔다는 것은 소중하고 값진 일입니다. 그것은 단주 회복의 길에서 그들 각자가 보여준 분투와 인내의 각고의 산물입니다. 그 수료장은 중독의 거짓된 나를 벗어버리고 참 나를 찾아나서는 길에서 한 분 한 분 형제님들이 흘린 눈물과 땀방울의 결정체입니다.

이번 3월 단주파티를 통해 K형제님에게 이 수료장이 수여될 예정입니다. K형제님이 라파공동체와 더불어 생활한 지 6개월이 지났습니다. 그 시간 동안 형제님은 말로 다 못할 시련과 고난을 겪었습니다. 물론 그 시련과 고난은 그의 인격 안에 깎이고 연단되어야 할 것들로 인해 그가 겪어야만 했던 마땅한 시련과 고난이었습니다.

그 시련과 고난을 겪어 내는 것! 그것이 치료입니다. 중독의 치료란 바로 이 모난 인격을 다듬고 또 다듬는 일입니다. 말이 쉬워 인격을 다듬는 것이지, 그 과정은 정말 살을 에고 뼈를 깎는 고통이 수반되는 과정입니다. 6개월 머무는 동안 다섯 번이나 짐을 쌌다 풀었다 했다는 형제님의 고백을 통해 그가 겪어야 했던 마음의 고통들을 짐작해 볼 뿐입니다.

그러나 그 시련과 고통이 그를 변화시키는 동력이 되었습니다. 그리고 마침내 공동체 6개월 과정을 마치고 하나님과 공동체의 축복 속에서 공동체를 떠날 시간 앞에 서 있습니다. 그는 지난 6개월간의 훈련을 통해 인격의 변화와 성숙을 통한 중독의 치유, 영적 거듭남을 통한 중독으로부터의 회복이라는 기독교 치유공동체의 훈련 목표를 만족스럽게 이행해 왔습니다. 그는 비록 1년의 과정을 다 채우지는 못하였지만 지난 6개월간의 훈련을 통해 만족할 만한 성과를 거두었습니다.

K형제님에게 공동체 6개월 수료장을 수여할 수 있게 되어 얼마나 기쁜지 모릅니다. 비록 1년이란 기간을 다 채우지 않더라도 이 수료장을 받기에 합당한 자격을 갖춘 형제님들이 더욱더 많이 나타나기를 간절히 소망해 봅니다.

여섯 번째 아파트

오늘 J형제님이 12평짜리 아파트 계약을 마치고 아파트의 소유권자가 되었습니다. 라파공동체를 통해 치유되고 회복되어 아파트를 얻어 입주한 여섯 번째 회복자가 되었습니다. 다음 달 말이면 J형제님은 단주 2주년이 됩니다. 하나님께서 단주하는 형제님에게 아파트라는 소중한 선물을 주셨습니다.

무엇보다도 술 마시던 그 손으로 이제 더는 술 마시지 않으며 제 손으로 수고하고 노동해서 떳떳하게 자기의 보금자리를 얻은 형제님이 자랑스럽습니다. 완전 노숙의 상태에서 알코올중독에 절고, 생에 좌절한 모습으로, 환청과 환시의 공포와 두려움에 질려, 재산이라곤 주머니 속에 든 3,000원이 전부인 채 라파공동체에 입소한 것이 엊그제 같은데 벌써 회복의 20개월이 지났습니다.

J형제님의 얼굴에 이제 더는 좌절과 공포, 실망과 좌절, 회의와 의심의 어두운 그림자는 드리워 있지 않습니다. 그의 얼굴에서는 이제 회복자의 여유와 평안이 풍겨나옵니다. 평온한 그의 얼굴을 바라보는 것만으로도 우리에게는 은혜가 됩니다. 전에는 술에 절어 얼굴피부가 거칠고 거무틱틱했는데 지금은 작열하는 태양도 아랑곳하지 않고 열심히 노동하고 수고하여 얻은 건강하게 그을린 얼굴입니다. Black이라고 다 같은 Black이 아닙니다. 중독의 Black과 회복의 Black은 하늘과 땅 만큼이나 차이가 있습니다. 전자가 추한 블랙이라면 후자는 아름다운 블랙입니다.

집(House)을 주신 주님께서 이제 가정(Home)도 주시리라 믿습니다. 회복의 여정을 함께 걷고, 주님 나라의 아름다운 사역을 함께 감당할 좋은 배필을 주님께서 예비해 놓으셨으리라 믿습니다. 그 일이 이제 J형제님의 생 가운데, 그리고 우리 가운데 이루어질 것입니다.

그가 공동체를 떠날 것을 생각하니 벌써부터 마음이 짠해집니다.

너 예수 믿냐?

사람이 술을 먹는 이유는 제 각각입니다. 다 저마다의 이유로 술을 마십니다. 많은 알코올중독자들은 잊기 위해서 술을 마십니다. 회한의 인생을 잊고 또 잊기 위해서 술을 마십니다.

진짜 고치기 힘든 중독자는 술이 너무 맛있어서 마시는 경우입니다. 너무 맛있는 그것을 중단하기가 얼마나 어렵겠습니까? 그렇다고 모든 중독자들이 술이 맛있어서 마시는 것만은 아닙니다. 마음의 고통들, 우울, 억울함, 원망, 분노, 좌절, 절망감, 외로움, 두려움 등등의 감정을 해소하기 위해서 술을 마십니다. 따라서 이들 감정을 적절한 방법으로 해소할 수 있게 될 때 술을 끊고 사는 것이 가능해집니다.

어떤 사람들은 '맛'이 아니라 '멋'으로 술을 마십니다. '멋'으로 술을 마시는 경우는 두 가지입니다. 하나는 술을 마시고 호기를 부리는 것이 남성적, 마초적 멋을 드러내는 것 같아 마시는 경우고, 다른 하나는 낭만으로 술을 마시는 경우입니다. 낭만으로 술을 마시는 사람에게 있어 음주는 삶의 의미요 인생의 멋이 됩니다.

J형제님은 술을 멋으로, 낭만으로 마셨습니다. 그렇게 술을 마신 사람들 주변에는 기인들이 있게 마련입니다. 그가 아는 한 형이 있었습니다. 다재다능한 사람이었고 풍류와 도를 아는 사람이었다고 했습니다. 사람들은 그 형을 도사라고 불렀다 했습니다. 두 사람은 숱한 날들을 마시고 또 마셨답니다. 그러나 언젠가부터 그 형이 자기를 피하기 시작했더랍니다. 중독이 깊어감과 동시에 J형제님에게 음주는 이제 더 이상의 멋도 낭만도 아닌 추함 그 자체였기 때문입니다.

그 형에게는 목사인 형과 전도사인 누님이 있다고 했습니다. 그러나 그 형은 끝까지 기독교로의 입교를 거부하며 살고 있다고 했습니다. 그의 형과 누이가 와서 그에게 입교를 권유할 때마다 면박을 주고는 했답니다. 기독교인에 대한 그의 일갈은 참으로 매서운 것이었습니다.

"지들이 기독교인이라면 예수처럼 살지 못하는 것을 부끄러워해야

지 형편없는 삶을 살면서 부끄러움도 모르고 뭘 그렇게 자신이 기독교인이라고 광고하고 다니는지 한심하기 짝이 없다"는 것이 그 형의 지론이었다는 것입니다. 기독교인들에게 들려주는 참으로 따끔한 일침이 아닙니까?

그 형에게서 얼마 전 J형제님에게 전화가 걸려 왔다고 했습니다. 단주 5년차에 들어서면서 그를 알았던 모든 사람들이 이제 그가 단주하며 사는 것을 알게 되었습니다. 그 형도 소식을 듣고 전화를 걸었다는 것입니다. "너 정말 술 끊고 살고 있냐?"는 물음에 "그렇다"고 대답하자 그 형이 이렇게 묻더랍니다.

"너 예수 믿냐?"

오오, 이 얼마나 놀라운 질문입니까?
그는 예수님이 누구인지 알고 있었던 것입니다.
인간의 불가능을 가능으로 만들 수 있는 분이 그 분임을 알고 있는 것입니다. J형제님에게 일어난 이 단주의 기적이 예수님을 통한 것임을 알고 있다는 것입니다.

단주를 통해 주님의 증거자가 된 J형제님을 축복합니다.
그리스도인으로서 부끄러움 없는 삶을 살도록 새 삶을 허락하신 주님께 감사합니다.

연탄 같은 인생

청년 시절 'Candle of life'라는 팝송을 좋아했던 기억이 있습니다. 누구의 노래였는지 지금은 가물가물 기억이 나질 않습니다. 아름다운 인생, 보람 있는 인생을 말할 때 사람들은 흔히 촛불 같은 인생을 말합니다. 자기 몸을 다 녹여가면서 주위를 환하게 밝혀주는 촛불처럼 자기를 희생해서 세상을 밝히는 삶을 산 사람을 촛불 같은 인생을 산 사람이라고 말하는 것이겠지요. 알코올중독자의 삶이 세상에 대해 던져줄 수 있는 유일한 유익이 있다면 그것은 '이렇게는 절대 살지 말라'는 산 교훈을 주는 것입니다.

라파공동체의 겨울철 주 난방 수단은 연탄입니다. 연탄은 지극히 가난한 사람들이나 때는 것인 줄 알았는데 제가 오늘 연탄을 때고 있습니다. 지극히 가난한 사람이 되어 있는 것은 분명한 것 같습니다. 라파공동체는 가난한 공동체입니다. 그러나 가난하면 어떻습니까? 심령이 가난한 자에게 복을 주시는 하나님이 계신데.

공동체의 가장 큰 행사 중의 하나가 연탄을 나르는 일입니다. 한 겨울을 나려면 대략 3,000장 정도의 연탄이 필요합니다. 보통 1,000장씩 세 번에 걸쳐서 연탄을 들여놓는데 연탄을 들여놓는 것이 장난이 아닙니다. 연탄을 들여놓은 날은 마치 커다란 전투에 나서는 사람들처럼 마음을 단단히 다잡고 신발 끈과 허리띠를 단단히 조여 맵니다.

합심하고 협력하여 일을 하다 보면 이마에 땀이 송글송글 맺히고 함께 일하는 것의 즐거움이 느껴집니다. 대부분의 알코올중독자들은 함께 일하는 것보다 혼자 일하는 것을 좋아합니다. 남들과 관계 맺고 사는 삶을 가능하면 회피하려 합니다. '관계 장애'가 있기 때문입니다. 연탄을 나르며 우리는 함께 수고하고 노동하는 법을 배웁니다. 더불어 살아가는 삶의 즐거움을 체험합니다. 그리고 서너 시간 후 1,000장의 연탄이 가득히 쌓여 있는 것을 보면서 일의 보람과 뿌듯함을 경험합니다.

내 손으로 수고하고, 내 손으로 노동해서 나의 겨울을 내가 책임질수 있게 되었습니다. 그렇게 우리는 책임지며 살아가는 법을 배웁니다. 남들은 이미 다 옛날 옛적에 배운 평범한 삶의 교훈들을 우리는 이제야 걸음마 하듯이 하나하나 배워나갑니다.

연탄을 지고 라파의 높은 언덕을 오르내리는 우리들의 마음속에는 안도현 시인의 「너에게 묻는다」라는 시가 문득 떠오릅니다.

연탄재 함부로 발로 차지 마라
너는
누구에게 한 번이라도 뜨거운 사람이었느냐

연탄 같은 인생을 살고 싶습니다. 자기 몸을 다 태워 남을 따뜻하게 해 주는, 가난한 이들의 삶을 데워 주는….

음주측정기

한 형제님이 음주한 것이 분명한데도 끝까지 오리발을 내밀기에 할수 없이 음주측정기를 구입했습니다. 그리고 음주측정을 하였더니 거기에 0.01의 숫자가 찍혀 나왔습니다. 술 마신 후 적어도 여섯 시간 이후에 측정한 것이니 음주 직후에 측정했다면 아마도 0.03~5정도가 나왔을 것입니다.

기계가 버젓이 0.01을 가르키고 있기에 음주 사실을 시인할 줄 알았습니다. 그러나 웬걸! 기계가 잘못되었다는 것입니다. 한술 더 떠 병원에 가서 혈중알콜농도를 재보자고 난립니다. 그쯤 되면 할 말을 잃습니다. 제 안에서 분노가 솟구쳐 오릅니다.

"당장 보따리 싸세요. 당신같이 양심을 속이는 사람은 우리 공동체에 필요 없어요!"

필요한 것은 음주측정기가 아니라 양심측정기입니다. 중독은 우리의 양심을 마비시키는 병입니다. 오늘의 나의 양심 지수를 날마다 체크해 볼 수 있는 양심측정기가 있었으면 참으로 좋겠습니다. 하긴 그런 기계가 있다면 우리는 이 세상을 온전히, 제 정신으로 살아갈 수는 없을 것입니다. 왜냐하면 우리 모두는 흑심과 욕심을 가지고 살기에 그것이 다 드러난다면 악취가 진동할 것이고, 서로에 대한 불신만이 더 가중되기 때문입니다.

우리는 다 때 묻은 양심을 가지고 살아갑니다. 다만 하루하루를 살아가면서 주님의 말씀에 비추어 자기 양심을 돌아보고 점검해 보면서 주님 말씀대로 하루하루 살아가려고 노력할 따름입니다.

양심을 일깨워주시고 양심대로 살도록 하루하루 인도해 주시는 주님께 감사합니다. 양심에 화인 맞은 자가 되지 않게 하시니 감사할 따름입니다.

이혼, 그 슬픈 상처

어제는 마가복음 10:1~12절까지의 말씀을 중심으로 성경공부를 진행하였습니다. 말씀의 주제가 '이혼'에 대한 것이라서 우리 공동체 형제님들에게는 다소 무거운 주제였습니다.

공동체 대부분의 형제님들이 이혼을 경험하였고 아직도 그 아픈 상처가 남아 있기에 마음들이 무거웠을 것입니다.

주제가 알코올중독자의 가정과 이혼에 집중된 것은 자연스러운 일이었습니다. 알코올중독이 단주를 통해 해결되지 않는 한 알코올중독자 가정에서 이혼은 불가피한 측면이 없지 않다는 이야기가 주류였던 것 같습니다. 특히 음행의 이유가 아니면 이혼해서는 안 된다고 말씀하셨던 주님의 명령을 알코올중독에 비유하여 검토해 본 것도 커다란 유익이 되었습니다.

"알코올중독은 하나님, 가정, 아내보다도 술을 더 사랑한 병이기 때문에 그것은 본질적으로 영적 간음이요 음행이다. 그러므로 그것은 예수님의 말씀에 비추어 보아도 이혼의 사유가 된다고 생각한다."는 H형제님의 말씀 해석이 신선하게 들려왔습니다. 그런 결론을 내려야 하는 형제님의 마음은 얼마나 쓰렸을까요.

이제 우리들에게 필요한 것은 술에게 **빼앗겼던** 그 사랑을 가족들에게, 사회에, 하나님께 돌려드리는 일일 것입니다. 하나님이 맺어준 신성한 관계를 감히 술이 깨어버릴 수는 없는 일 아니겠습니까!

방송 그 이후

라파공동체가 모 방송의 '현장 리포트' 시간을 통해 소개되었습니다. 총 방영시간이 20분밖에 되지 않아 우리 공동체에 대해 충분한 소개를 할 수는 없었지만 알코올중독 치유의 한 방법으로 '치유공동체'가 소개된 것은 의미 있는 일이었습니다.

미국이나 유럽 등의 복지선진국에서는 '치유공동체'를 통한 알코올 및 약물중독 치료가 대세를 이루고 있습니다. 이에 비하면 우리나라는 이제 겨우 첫걸음을 떼고 있는 실정이라 할 수 있습니다. 그러한 때 알코올중독 치유공동체의 실체를 공중파를 통해 알릴 수 있게 되었으니 얼마나 감사한 일인지요.

작년 이맘때도 전국 방송망인 아리랑 TV에서 인간극장과 같은 다큐 프로에 라파공동체를 소개하려 한 적이 있었습니다. 그 프로의 특징은 진솔성에 있었고 출연자 모두에게 모자이크 처리하지 않은 쌩얼 출연을 원칙으로 하고 있었습니다. 형제님들에게 방송출연 여부를 묻자 모두가 출연불가 입장을 밝혔습니다. 더군다나 모자이크 처리도 하지 않고 방송에 출연한다는 것은 있을 수 없다고 했습니다. 한 형제님은 AA의 전통에 비추어 보아도 방송에 출연하는 것은 옳지 않다고 하면서 완강히 반대했었지요.

수치심! 내가 알코올중독자라는 것을 만천하에 드러내는 것에 대한 수치심이 방송출연 불가의 근본 이유였습니다.

그랬는데, 그때로부터 꼭 1년이 지난 지금, 방송출연을 반대했던 그 형제님들 모두가 이번에는 당당히 자신들의 얼굴을 드러내면서 촬영에 임했습니다.

그 일 년 사이에 변화가 일어났습니다! 그 변화는 참으로 놀라운 것이었습니다! 마의 수치심이 극복되기 시작한 것입니다!

모든 중독의 뿌리에는 수치심이 있습니다. 수치심 때문에, 그 수치심을 가리려고 중독자가 되었고, 중독자가 된 자기 자신이 너무도 수치스러워 더욱더 술을 마셨습니다. 그 수치심이 너무도 질기게 중독자의 인격에 들러붙어 있어서 그것을 제거하는 것은 마치 그 자신을 제거하는 것과도 같았기에 그것을 인격으로부터 분리해서 제거해 내는 것은 불가능해 보이기도 했습니다.

그러나 지금, 그 일이 일어난 것입니다. 수치심과 참 자아가 분리되기 시작하고, 그 수치심을 참 자아로부터 떼어 내어 관리할 수 있는 인격의 능력이 함양되기에 이른 것입니다.

내가 중독자라는 사실이 수치스럽기 때문에 대부분의 중독자들은 어떻게 해서든지 그 사실을 숨기려 합니다. 숨기려 하면 할수록 내 속에서는 더 큰 수치심이 불러일으켜집니다.

수치심을 극복하는 가장 좋은 비결은 그 수치심을 밝은 태양 아래 드러내는 일입니다. 만인 앞에 드러내는 일입니다. 나는 알코올중독자라고 일부러 떠벌리고 다닐 필요는 없지만 자기의 진실을 드러낼 필요가 있을 때 숨김없이 자기를 드러내는 것은 매우 중요합니다. 수치심이 드러난다는 것은 더는 내 속에 숨길 것이 없는 깨끗한 상태가 되었다는 것을 의미합니다. 내 속에 숨겨야 할 그 무엇이 없을 때 나의 영혼은 자유를 얻습니다. 그 누구 앞에서도 떳떳하게 됩니다. 나를 위축시키고 나로

하여금 남의 눈치나 힐끗 보게 하는 것은 내 속에 숨길 것이 있기 때문입니다. 숨길 것이 없는 나는 자유합니다. 더는 남의 눈치를 보지 않습니다.

자신이 중독자라는 사실을 드러내려 할 때 염려되는 것은 많은 사람들이 자기가 중독자라는 사실을 알면 그 사람들이 나를 편견을 가지고, 불공평하며, 부당하게 대할 것이라는 생각을 갖기 때문입니다. 그러나 바로 그러한 생각이 수치심에 지배되는 생각임을 알아야 합니다.

자기 자신에 대한 자존감이 회복된 사람들은 남의 눈치에 연연해 하지 않습니다. 내가 중독자라는 사실이 실망스럽기는 하지만 그것을 이겨나갈 힘이 내게 있기에 그것을 더는 수치스러워 하지만은 않습니다. 설혹, 수치감이 남아 있다 할지라도 중독자라는 수치감보다는 회복자라는 자긍심이 더 크기 때문에 수치심은 더는 그의 인생을 지배하지 못합니다.

방송 그 이후 우리 형제님들에게 일어난 가장 큰 변화는 자신이 알코올중독자라는 사실을 더는 수치스러워 하지 않는다는 것입니다. 내가 중독자라는 사실이 밝혀질까 봐 전전긍긍하며 두려워하지 않는다는 것입니다. 모든 사람 앞에 나는 중독자라는 사실을 공표하였으므로 내 안에 숨겨야 할 그 무엇이 더는 남아 있지 않게 된 것입니다.

마음속의 어두운 구름이 걷히고 맑은 하늘이 이제야 드러나기 시작하고 있습니다.

방송을 통해 가장 큰 은혜를 받은 사람은 다른 그 누가 아니라 그 방송에 출연했던 형제님들 바로 자신이었습니다.

단주의 페인트칠

라파공동체가 새 예배당을 꾸미느라고 분주합니다. 지난주까지 예배당 내부 도배를 마치고 장판을 새것으로 교체하는 작업을 마쳤습니다. 이번 주에는 공동체 내외부 페인트칠을 완료하고, 새 예배실 입구를 차양으로 가리는 공사를 마쳐야 합니다.

개척 교회 목사는 못하는 게 없어야 한다는데 도배면 도배, 페인트칠이면 페인트칠 등 안 해 본 일들을 열심히 해내고 있습니다. 어제는 예배실 옆 회랑을 칠했고, 오늘은 정자로 올라가는 경사로에 페인트칠을 했습니다. 내일이면 공동체 전체 외관의 페인트칠이 완료될 것 같습니다.

페인트 기능공인 J형제에게 페인트칠에 대한 요령을 물었을 때 제일 중요한 것은 '칠할 벽면을 깨끗이 닦아내는 것'이라는 말을 들었습니다. 직접 칠을 해 보니까 그 말의 중요성이 실감되었습니다. 페인트칠을 잘하려면 칠할 벽면을 미리 깨끗이 닦아 놓아야 합니다. 먼저 칠한 것을 다 벗겨 내지 않은 곳에 칠을 하려니까 여간 성가신 게 아니었습니다. 새 칠을 하려는데 자꾸만 먼저 칠 한 것이 일어나고 서로 엉켜서 칠이 제대로 되지 않았습니다.

페인트 칠을 하는 이유는 더러운 것을 가리기 위함입니다. 순진하게 그저 그 더러운 부위 위로 페인트 칠을 하면 모든 게 다 가려지고 잘 될 것이라고 생각했습니다. 그러나 그것은 오산이었습니다. 바탕이 깨끗해야 칠도 잘 먹고 곱게 칠해졌습니다.

페인트는 더러운 곳을 가리기 위해 사용하는 것이라기보다는 원래 깨끗한 곳을 더 예쁘고 아름답게 꾸미기 위한 것이라는 생각이 들었습니다.

단주를 한다는 것은 우리 마음에 새로운 칠을 하는 것입니다. 새로운 칠이 잘 먹히려면 더러운 음주의 때가 다 벗겨져야 합니다. 그 위에 새로운 칠을 해 보았댔자 얼마 못 가 후줄근해지기 마련입니다. 정말 중요한 것은 묵은 때, 절은 때를 먼저 벗겨 내는 일입니다.

단주하기 위해 우리는 그리스도로 옷 입어야 합니다. 그러기 위해서는 음주의 낡고 찌든 옷을 벗어버려야 합니다. 단주하기 위해 우리는 우리 마음에 새로운 단주의 칠을 해야 합니다. 그러려면 먼저 우리 마음의 음주의 때를 벗겨내야 합니다.

낡고 찌든 옷 위에 아름다운 옷을 걸쳐 입은들,
음주의 더러운 마음 위에 단주의 새 칠을 한들,
새 옷의 품격이 드러날 리 만무하며,
단주의 새 삶이 보장될 리도 만무합니다.

단주에 성공하는 사람들은 내 안의 더러운 것을 다 쏟아내고, 다 닦아내는 사람입니다. 그러나 단주에 실패하는 사람들은 그 더러운 것들을 그대로 두고 그 위에 이른바 '뺑끼칠'을 해서 그것들을 은폐하려는 사람입니다.

뺑끼칠 하지 않는 정직함이 단주 회복의 특효약입니다.

정금 같은 마음속에 그리스도의 옷이 어울리는 법입니다.

내가 속물입니다

세속적인 일, 이를테면 돈이나 명예, 눈앞의 이익만을 추구하는 사람을 우리는 속물이라 부릅니다. 물신주의가 팽배한 이 세상에서 속물의식, 속물근성을 가지고 살아가지 않는 사람은 아무도 없습니다. 다만, 차이가 있다면 그 속물근성을 얼마나 극복하고 있는지, 그 영향을 자신의 삶 속에서 얼마나 최소화하고 있는지의 차이가 있을 따름이겠지요.

하나님께서 이역만리 먼 러시아에서 J형제님의 배필을 불러주셨습니다. 그 자매님의 이름은 K, 고려인 3세입니다. 자매님은 결혼을 전제로 J형제님과 맞선을 보러 한국에 나왔고 저희 집에 2주 동안 머물렀습니다. 그 두 사람이 잘 맺어지도록 소개해준 부부와 저희 부부가 뚜쟁이 노릇을 하며 중간에서 열심히 섬겼습니다. 2주간의 교제를 통해 두 사람은 서로에 대해 호감을 갖게 되었고 마침내 결혼을 약속하기에 이르렀습니다.

K자매님이 러시아로 돌아간 후 아내와 함께 이런 저런 이야기를 하다가 아내가 이런 이야기를 했습니다.

"정말 K자매도 대단하지요? 어떻게 그런 질문을 하나도 하지 않을 수 있지요?"

아내가 뜬금없이 이런 말을 하기에 그게 무슨 뜻이냐고 물었습니다.

"아니 우리나라에서는 결혼을 하기 위해 남자와 여자가 만나면 의례히 묻는 질문들이 있잖아요. 그런데 K자매님은 그런 질문을 한 마디도 하지 않은 것 같아요."

아내의 이야기를 듣고 보니 정말 그랬습니다. K자매님은 결혼을 앞

둔 사람들이 흔히 묻는 질문들, 이를테면

"직업은 뭐예요?"

"부모님은 뭐하시던 분이셨어요? 지금 살아 계신가요?"

"어디에, 어떤 집에 살고 계신지요?"

"학교는 어디까지 나오셨나요?"

"전공은 뭘 하셨나요?"

"월수입은 얼마나 되지요?"

"모아 놓은 돈은 얼마나 되나요?"

이런 질문들을 한마디도 하지 않았습니다. 함께 교제하는 동안에 K 자매님의 관심은 오직 J형제님의 믿음과 그의 인격에 집중되어 있었습니다. 그녀는 J형제님의 믿음에 대해 알고 싶어 했고, 그에게서 굳건한 믿음을 보고 싶어 했습니다. 교제 가운데 그녀는 J형제님의 따뜻한 인격을 경험적으로 알 수 있었습니다. 자매는 그의 인격에 호감을 느꼈고, 그것 때문에 그를 사랑하게 되었습니다.

그런데 정작 저 자신은 그렇지를 못했습니다. 함께 교제하는 2주 동안 기어코(?) 저는 위의 질문들을 모조리 그녀에게 해댔습니다. 그리고 모든 정보를 **빼내고야** 말았습니다. 그 정보가 다 입력되고 나서야 제가 그녀에 대해 잘 알게 된 것 같은 느낌이 들었습니다. 그녀에 대해 제대로 파악하게 되었다는 안심감이 들었습니다. 그녀와 함께 2주 동안 지내면서 보고 듣고 느끼는 것만으로는 여전히 그녀를 판단하기에 부족했던 것입니다. 그런데 K자매는 그런 질문들을 한마디도 하지 않은 채 J형제님과의 결혼을 약속하기에 이르렀던 것입니다. 그녀는 자기가 직접 보고 들은 것만으로 J형제님에 대해 알 수 있었고, 그것에 근거해 판단하였고 행동을 결정했습니다. 요컨대 그녀는 진정 사람의 믿음과 인격만을 보고 결혼을 결정하였습니다.

나는 내가 그래도 괜찮은 사람인 줄 알았습니다. 그래도 덜 속물스러운 사람이라고 생각하며 살았습니다. 그러나 이 두 사람의 결혼을 중매하는 과정에서 제 안에는 여전히 속물의식이 자리 잡고 있음을 보게 되었습니다. 세속적인 잣대와 기준, 돈, 학력, 직업, 가족환경 등으로 사람을 판단하고 평가하려는 경향이 여전히 남아 있음을 보게 되었습니다. 들은 정보를 종합해보면 K자매님은 자수성가한 부모님 밑에서, 귀염받고 사랑받고 자란 것이 분명해 보였습니다. 공부도 할 만큼 했고, 경제적으로도 중산층 이상의 풍요를 누리며 살아왔습니다. 그런 그녀가 아무것도 가진 것 없는 J형제님과 결혼하겠다고 결정한 것입니다. 만일 사정이 거꾸로였다면 어떻게 되었을까요?

J형제님이 부유한 집안의 귀한 아들로 태어나 공부도 할 만큼 다한 상태에서 러시아의 한 고아 출신 여자를 만났다면, 그녀는 전에 알코올 중독으로 고생한 적이 있고 현재 가진 것은 그저 믿음 하나밖에 없는 여자였다면 제가 그 결혼을 흔쾌히 승낙할 수 있었을까요?

"이 세상이나 세상에 있는 것들을 사랑치 말라!"는 주님의 말씀이 오늘따라 더욱 생생히 들려옵니다. 사람들을 차별없이 대하는 것이 하나님 아버지의 마음인 것을 더욱 깊이 헤아려 알게 됩니다. 내 안에 있는 속물근성이 뿌리째 뽑혀지기를 간절히 기도할 밖에요.

"주님, 나를 정결케 하옵소서. 거룩하게 하옵소서. 주님의 눈으로 사람을 바라보게 하옵소서. 사람을 외모로 취하지 말게 하옵소서. 있는 그대로의 모습을 보게 하옵시고 그것을 신뢰하게 하옵소서."

내가 틀려서 다행입니다

W형제님은 라파의 재수생입니다.

그가 우리 공동체에 처음 온 것은 지난 3월이었습니다. 그러나 공동체 생활에 적응하지 못한 채 한 달을 채우지 못하고 그가 있던 병원으로 돌아갔습니다. 공동체에 머물고 있는 동안 그는 죽음과도 같은 깊은 잠을 자는 듯 했습니다. 때로는 밥 먹는 시간을 거르기도 했고, 아침 묵상 시간에 빠지기도 했습니다. 아침에 일어나 눈은 떠졌지만 새벽묵상에 나오기 싫어 그냥 누워있는 채로 멍하니 아침을 맞기도 했습니다. 이유는 딱 하나였습니다. 입이 열리지 않더라는 것이었습니다. 매일의 프로그램에 참석하면서 뭔가 말을 하긴 해야겠는데 말을 해야겠다는 생각만 맴돌 뿐, 무슨 말을 해야 할지 알 수도 없었고, 뭔가 할 말은 가슴에 꽉 찬 것 같은데 어떻게 표현해야 할지 몰라 답답하기만 한 심정이었다 했습니다. 그의 모습은 실어증 환자와도 같았고, 깊은 우울에 빠진 우울증 환자와도 같았습니다. 그 자신도 힘들었겠지만 그를 지켜보는 공동체 식구들도 무척이나 곤혹스럽고 힘겨워 했습니다. 우울증 치료를 받지 않는 한 W형제님이 무리없이 공동체 생활을 해나간다는 것은 불가능해 보였습니다.

그렇게 W형제님은 공동체 생활에 적응하지 못하고 다시 그가 있던 병원으로 되돌아갔습니다. 사람들과 굳이 어울릴 필요도 없고, 말하지 않아도 되는 병원으로 말입니다. 그가 떠나갔을 때 「뻐꾸기 둥지 위로 날아간 새」라는 영화가 생각났습니다. '폐쇄 정신 병원이 환자들을 더욱 폐쇄적으로 만들고 마침내는 자폐적으로 만드는구나'하는 생각도 들었습니다.

그렇게 떠나갔던 W형제님이 공동체에 재입소한 것은 지난 7월이었습니다. 가족들을 통해 재입소 요청을 받았을 때 저는 망설였습니다. 똑같은 모습이 반복될 것만 같았기 때문입니다. 당사자인 W형제님이 제게 직접 전화를 하도록 부탁했더니 곧 W형제님으로부터 전화가 왔습니다. 이번에는 잘 적응해 보려고 하니 재입소를 허락해 달라는 것이었습니다. 그의 목소리를 듣는 것 자체가 변화였습니다. 일말의 기대를 가지고 W형제님의 재입소를 허락하였습니다.

재입소한 W형제님의 모습은 그러나 기대와 달랐습니다. 그의 모습은 지난 봄의 모습과 거의 다를 바가 없었습니다. 그때와 다른 것이 있다면 새벽묵상을 비롯한 공동체 모든 프로그램에 빠지지 않고 참석하였다는 것입니다. '고백과 나눔'이 공동체 모든 프로그램의 핵심이었기에 말하지 않고 공동체 프로그램에 참석하는 것은 쉬운 일이 아니었습니다. 여전히 그는 말하는 것을 힘들어 했고 그를 지켜보는 우리들의 당혹감도 여전했습니다. 우울증 치료를 병행하지 않고는 이 상황이 개선될 여지가 보이지 않았습니다.

그랬는데 3주가 지나면서부터 놀라운 변화가 일어나기 시작했습니다. W형제님의 말문이 서서히 열리기 시작한 것입니다. 그것은 마치 어린 아기가 처음으로 말문을 열고 엄마, 아빠를 부르는 것과 같은 감동이었습니다. 그가 말하지 않았을 때 견디기 힘들었던 것은 사실은 그의 얼굴 표정이었습니다. 음울하고 눌린 것 같은, 심히 일그러진 얼굴 표정이었습니다. 그런데 그의 말문이 열리면서 그의 표정도 서서히 변하기 시작했습니다. 그의 얼굴에 미소가 피어나기 시작했습니다. 수줍음 타며 흘리는 그의 미소는 거의 판타스틱 그 자체였습니다. W형제님이 말문을 연 지 불과 2주밖에 지나지 않았습니다. 그런데 지금 W형제님이 있는 곳에서는 웃음꽃이 끊이질 않습니다. 가히 개그맨 수준의 웃음을 공동체에 선사하고 있는 것입니다. 저렇게 말을 잘 하는데, 저렇게 남을 웃기는 재주가 있는데 그동안 말 못하고 살아오려니 얼마나 답답했겠습니까? "말문이 열리니까 가슴 속의 답답함도 다 날아가 버린 것 같아요. 너무 시원합니다."라고 말하는 W형제님의 얼굴에 잃어버린 자신을 되찾은 기쁨과 행복이 묻어나옵니다.

　헬렌 켈러의 스승이었던 설리반 선생이 떠오릅니다. 정신병원 지하 병동에 갇혀서 그 누구와의 대화도 거부하며 자폐적 삶을 살았던 그녀가 날마다 그에게 다가와 관심과 사랑을 전해준 한 헌신적인 간호사에 의해 마음 문을 열고, 말문을 열고 정상생활로 복귀한 후 장애인들의 재활 선생이 되었고 마침내 위대한 헬렌 켈러의 스승이 된 이야기 말입니다. W형제님에게도 그와 같은 놀라운 인생의 변화가 일어나기를 소망합니다.

　내가 틀려서 얼마나 다행인지 모릅니다. W형제님의 자폐적인 행동이 1~2주 정도 지속되었다면 저는 아마도 W형제님을 병원으로 다시 되돌려 보냈을지도 모릅니다. 그 음울한 분위기를 제가 더는 견딜 수 없었기 때문입니다. 그러나 하나님의 때가 되어서 그가 마음의 문을 열고 마침내 말문도 열게 되었습니다. 나는 포기하려고 했지만 주님은 포기하지 않으셨습니다. 나는 심한 우울증으로 진단하고 그를 포기하려 했지만 하나님은 그가 마음 깊은 곳에서 마음을 열고 말문을 열려고 애쓰는 모습을 이미 보고 계셨습니다. 내가 틀려서 얼마나 다행인지 모르겠습니다.

"하나님 아버지, 언제나 당신이 옳습니다. 우리는 세상의 모든 진실을 다 알지 못합니다. 그저 당신의 일하심을 기다릴 뿐입니다. W 형제님을 새롭게 빚어 가시는 주님을 찬양합니다. 그리고 그에게 일어날 놀라운 일들을 기대합니다."

전설은 계속된다

알코올 중독 치유 현장에서 '빌과 밥'은 살아 있는 전설입니다. 이 두 사람의 만남으로 전 세계의 알코올중독자들에게 치유의 길이 열리게 되었습니다. 이 둘의 만남이 계기가 되어 미국에서 AA모임이 시작되었고, 그 모임은 지금 전 세계에 퍼져 수많은 알코올중독자들을 치유의 길로 이끌고 있습니다. 빌과 밥이 만나 서로 위로하고 서로 격려하며 단주의 길을 걷기 시작한 것은 1930년대의 일이었습니다.

그리고 그 때부터 알코올중독은 치유되어야 하는 병이고, 치유될 수 있는 병이며, 실제로 치유될 수 있다는 사실이 그들의 평생 단주를 통해 증명되고 증거되었습니다.

한국의 알코올중독자들에게 치유의 희망이 전파되기 시작한 것은 1980년대에 들어서였습니다. 알코올중독이 치유되어야 하는 병임이 외국에서 들어온 두 선교사들에 의해 전파되기 시작했습니다. 상계동에서 알코올중독자 치유공동체를 운영한 모 신부님과 방배동에서 AA 모임을 운영한 안성도(한국명) 신부님이 그들입니다.

미 8군을 통하여 알코올중독 치유의 희망이 전파되기도 했는데 미 8군을 통해 알코올중독으로부터 회복된 한 회복자에 의해 마포에서 거주시설 방식의 치유 활동이 이루어졌던 것도 이 때였습니다.

국내정신병원에서 알코올중독자들에 대한 전문적인 치유활동도 중곡동 국립정신병원에서 비슷한 시기에 이루어졌습니다. 그 때 처음으로 정신병원에서 알코올중독자 전문병동이 운영되기 시작하였습니다.

제가 대전에 내려와 알코올중독자 치유사역을 시작하게 된 계기는 우연한 기회에 만난 성공회 신부의 간곡한 요청을 받고 나서였습니다. 그 신부를 만나기 전에 저는 알코올중독과 모 신부님에 대한 자료를 찾으러 성공회에 갔다가 그 신부를 만나게 되었습니다. 제가 모 선교사님을 알게 되고 그 행적을 찾아 나서게 된 것은 그 신부님에게서 회복의 길을 배운 한 중독자와의 만남과 교제를 통해서였습니다.

제가 알코올중독 치유 사역을 시작한 지난 10년 동안 많은 형제들이 저희 공동체를 스쳐 지나갔습니다. 그 중에는 80년대 한국 땅에서 중독 치유사역이 시작되던 전설적인 시대를 경험했던 사람들도 있었습니다. 그 중 어떤 이는 공동체의 도움을 받아 단주의 길에 들어서기도 했고,

또 어떤 이들은 다시 술에 빠져 음주의 뒤안길로 사라져 가기도 했습니다. 그러나 중독치유의 전설은 여전히 오늘, 여기 라파공동체에 살아있습니다. 그 전설들이 모여 오늘의 라파공동체를 이루고 있고 그 전설들은 더욱더 힘 있는, 살아있는 전설이 되어 가고 있습니다. 죽어가는 영혼에게 한 줄기 생명의 빛이 비추매 죽었던 영혼들이 생명으로 벌떡벌떡 일어나는 생명 탄생의 전설이 오늘 여기에서 여전히 이어지고 있습니다.

우리 라파커뮤니티가 이 땅의 중독치유사역의 영원한 전설,
늘 살아있는 전설이 되기를 간절히 소망합니다.
그리고 그 전설을 이루어 주실 주님을 찬양합니다.

미국과 영국에서 시작된 신앙회복운동인 옥스퍼드 운동이 빌과 밥에게 전달되어 AA모임이 이루어지더니, 주님께서 두 명의 선교사를 세워 이 땅에 중독치유의 희망의 등불을 밝혀 주시기에 이르고, 마침내 그 등불을 보고 나아온 자들이 오늘, 여기 라파에 모여 새로운 전설을 써내려 가고 있습니다.

희망이여 영원할지어다!
전설이여 영원할지어다!

3년 동안 모은 250만 원

그는 48살입니다. 술독에 빠져 25년을 살다가 모든 것을 다 잃어버리고 43살의 나이에 라파공동체에 입소했습니다. 그때 이후 지금까지

그는 5년 6개월 동안 단 한 잔의 술도 마시지 않고 올곧게 단주의 생활을 유지해 왔습니다. 치료의 1년 과정을 마친 이후 지난 4년 6개월 동안 그는 참으로 열심히 일했습니다. 단주 회복 첫해에 열심히 돈을 벌어 그는 영세민 아파트에 입주했습니다. 그 일 년 동안 약 300만 원쯤을 모았을 것입니다.

그가 아파트에 입주한 그 해 그는 그토록 그리던 가족들을 다시 만날수 있었습니다. 가족들과 헤어진 때로부터 5년이 지나고, 단주한 지 2년 6개월이 지난 후였습니다. 그 때 그의 아들은 중학교 3학년이었습니다. 그는 그 만남의 자리에서 아들에게 무릎을 꿇고 용서를 빌었습니다. 용서를 구하는 아버지 앞에서 그 아들은 여전히 뻣뻣이 굳어 있었습니다. 그는 온몸으로 아버지에 대한 두려움을 표현하고 있었습니다.

그러나 그것은 단지 시작이었을 뿐입니다. 그날 이후 아버지와 아들의 관계는 서서히 변하기 시작했습니다.

"애들 전화가 받고 싶은데 애들이 통 전화를 하지 않아요. 그러나 어쩌겠어요. 다 저의 죄과 때문인걸요."

그런 진한 아쉬움의 호소를 들었던 때도 있었습니다.

그러나 그는 꾸준히 아들에 대한 당신의 사랑을 전하기를 멈추지 않았습니다. 그랬더니 언제부턴가 아들로부터 형제님에게 전화가 걸려오기 시작했습니다. 게 중에는 용돈을 부탁하는 전화가 종종 있었습니다.

"목사님, 우리 아들이 저한테 전화를 하기 시작했어요. 그리고 저한테 용돈을 달라고 하네요. 얼마나 감사한지 모르겠어요."

그 형제님은 자라면서 한 번도 아버지한테 용돈을 달라고 해 본 적이

없다 했습니다. 아버지가 너무 무서웠기에 언제나 용돈을 어머니에게
타 썼다고 했습니다. 아버지에게 용돈 한 번 받아 보는 것이 그에게는
이룰 수 없는 꿈이었습니다. 그런데 그의 아들이 그에게 스스럼없이 용
돈을 보내달라고 전화를 하였더라는 것입니다. 그렇게 아버지와 아들
은 친밀해지기 시작했습니다. 그가 자기 아버지와 이루지 못했던 꿈이
이제 그의 아들과의 사이에서 이루어지기 시작했습니다. 그 친밀한 관
계를 통하여 어느새 아버지는 아들에게 좋은 친구가 되어주기도 했고,
때로는 좋은 인생의 선배, 멘토가 되어 주기도 했습니다. 그는 언제나
아들의 편에 서주었고, 아들을 격려해 주고 위로해 주었으며, 그의 힘이
되어 주었습니다. 그리고 마침내 그 아들의 입에서 "우리 아빠 최고예
요"라는 상찬의 말이 흘러나오게 되었습니다.

그는 좋은 아버지였지만 그러나 경제적으로는 여전히 무능한 아버
지였습니다. 그가 아들에게 약속했던 것은 대학 등록금만큼은 어떻게
해서든 아버지가 마련해주겠다는 것이었습니다.

지난 3년 동안 그는 자신의 연단과 인격의 성숙을 위해 자활훈련기
관에서 비정규직으로 일을 해 왔습니다. 그곳에서 그가 받은 월급은
고작 70만원이었습니다. 그러나 그는 그것에 자족하면서 열심히 장애
인들과 거동이 불편한 어르신들을 정성으로 섬겨왔습니다. 그는 단돈
2,000원을 아끼기 위해 한 시간이나 되는 교회를 걸어다니기도 했습니
다. 점심값을 아끼기 위해 1,000원짜리 김밥 한 줄로 점심을 때우기가
일쑤였습니다. 그렇게 열심히 열심히 그는 돈을 모았습니다.

그리고 마침내 올해 그 아들이 수시전형으로 대학에 입학하게 되었

습니다. 이제 곧 대학 등록금을 낼 때가 된 것입니다.

그가 버스비를 아끼고 점심 값을 아끼면서 모은 돈은 모두 250만원이었습니다. 사립대에 합격한 아들의 입학 등록금으로는 많이 모자라는 돈이었습니다. 어제 교회에서 50만 원의 장학금을 그에게 전달했습니다.

"형제님, 형제님이 모으신 그 250만 원은 2,500만 원 이상의 가치가 있는 돈입니다. 하나님께서 그렇게 만들어 주실 것입니다. 2,500만 원의 가치 있는 일이 형제님에게, 그리고 아들에게 일어날 것입니다."

우리는 그렇게 형제님을 위로해 주었습니다. H형제님, 아들의 등록금을 다 마련해 주지 못했다고 너무 마음 아파하지 마세요. 가난하다고 너무 서글퍼 하지 마세요. 하나님께서 우리 가난한 자의 하나님 되심을 바라보고 나아가세요. 다 잘 될 것입니다. 아무렴요, 다 잘 되고야 말 것입니다. 우리가 하나님의 자족을 실천하며 기쁨과 감사함으로 살아갈 때 가난 너머에 예비해 놓으신 하나님의 축복이 형제님의 삶 가운데, 우리 모두의 삶 가운데 넘치게 될 것입니다. 가난이 축복이었음을 우리 모두가 알게 될 것입니다. 가난한 자의 하나님을 찬양하게 될 것입니다.

목사님을 5년 전에만 만났어도

지난 월요일 CTS 기독교 방송국에 가서 '내가 매일 기쁘게' 녹화를 마치고 돌아왔습니다. CBS의 '새롭게 하소서'와 거의 동일한 성격의 간증 프로그램으로 인기 탤런트 정애리 권사님과 유명 아나운서인 최선규님이 MC를 맡고 있는 프로그램이었습니다. '새롭게 하소서'의 임동진·고은아님이 노련하고 연륜이 있는 느낌이었다면 이 두 분에게서는 열정과 활력을 느낄 수 있었습니다.

온 나라가 산화한 천안함 장병들의 죽음 앞에서 오열을 감추지 못하고 있습니다. 꽃다운 나이에 피지도 못하고 쓰러진 젊은 내 자식들의 죽음 앞에서, 어린 자식들을 두고 먼저 떠나야 했던 젊은 가장들의 가슴 아픈 사연에서 온 나라가 슬퍼하며 애통해 하고 있습니다. 다시는 이런 비극적인 죽음이 없어야 합니다. 이런 어이 없고 안타까운 죽음이 없어야 합니다. 여호와 샬롬, 평화의 하나님이 우리에게 절실한 까닭입니다.

녹화가 시작되기 전, 그리고 녹화가 끝난 후에 한 스태프로부터 "목사님을 5년 전에 만났어야 하는데…"하는 비감 어린 탄식 소리를 들어야 했습니다. 제가 가는 모든 곳에서 이런 분들을 만납니다. 그것이 제겐 더이상 낯설지 않습니다. 중독은 이렇게 우리들 삶의 곳곳에 깊숙이 자리 잡고 있기 때문입니다. 우리들 삶의 모든 영역에 은밀히 뱀처럼 똬리를 틀고 앉아서 사정없이 물어뜯고 쏘며 그들을 죽음으로 이끌어 가고 있습니다.

그의 동생이 5년 전 알코올중독으로 사망했다고 했습니다. 집을 떠나 노숙자가 되어 살아가다가 길에서 죽었다고 했습니다. 그가 행려병자로 죽음을 맞이한 곳은 그가 사랑했던 가족들이 있었던 바로 그 동네였다고 했습니다. 목사님 말대로 정말 '사랑이 희망'인 것 같다고 말했습니다.

목사님을 5년 전에만 만났어도….

그분의 눈가에 회한의 눈물이 맺히는 듯 보였습니다.

주님, 지금 이 시간, 알코올에 수몰되어 수장되어 가고 있는 저 숱한 영혼들을 불쌍히 여겨 주시옵소서. 저 가족들의 슬픔의 눈물을 닦아 주시옵소서. 주님, 이제 일어나 저 악한 마귀의 영을 궤멸하시고 중독에 묶여 신음하고 있는 당신의 자녀들을 구원하여 주시옵소서.

주님, 우리가 당신을 기다리나이다. 속히 오시옵소서.

술주정뱅이를 위한 희생제물

벤쿠버 올림픽의 열기가 한창입니다. 자랑스런 우리의 젊은이들이 기대 이상의 선전으로 세계를 제패하고 있습니다. 이번 주에는 모태범 선수와 이상화 선수를 통해, 그리고 다음 주에는 김연아 선수를 통해 우리는 세계 최고의 자리에 오르는 우리의 아들, 딸들의 모습을 흐뭇한 미소로 바라보며 즐기는 시간을 갖게 될 것입니다. 얼마나 자랑스러운 우리의 아들, 딸들인지요.

오늘 아침에는 에베소서 5장의 말씀을 묵상하였습니다.

"그러므로 사랑을 받는 자녀 같이 너희는 하나님을 본받는 자가 되고 그리스도께서 너희를 사랑하신 것 같이 너희도 사랑 가운데서 행하라"(엡5:1~2)고 말씀하셨습니다. 당연히 아멘이라고 화답하였지요. 그러나 문제는 그 다음 말씀에 있었습니다.

> 그는 우리를 위하여 자신을 버리사 향기로운 제물과 희생제물로 하나님
> 께 드리셨느니라 엡5:2

너희가 본받을 하나님의 사랑, 그리스도의 사랑은 이런 것이라는 말씀이었습니다. 그리스도께서 나 같은 죄인, 우리 같은 죄인을 위해 자기 자신을 버리고, 친히 우리를 위해 하나님께 바쳐진 향기로운 제물, 희생제물이 되셨으니 너희도 다른 죄인들을 위해 너희 자신을 버리고, 너희 자신을 희생의 제물로 바치라는 말씀이었지요.

그 말씀을 아멘으로 받기는 아직도 얼마나 힘이 들던지… 기왕이면 좋은 것을 위한 희생제물이 되려고 제 자신이 얼마나 발버둥치고 있는지… 모태범이나 이상화나 김연아와 같은 자녀들을 위하여 희생제물이 되라 하시면 얼마든지 하겠지만… 아무 쓸모없는 술주정뱅이들을 위해, 죄인들을 위해 희생제물이 되어야 한다는 것은 얼마나 억울한 일인지… 여전히 제 안에는 그런 마음들이 남아 있음을 여실히 보게 되었습니다.

그리고 그 끝에서 죄인들을 사랑하시되, 자기 몸을 아끼지 아니하시고, 자기 생명조차도 조금도 아까워하지 않으시며, 기꺼이 죄인들을 위한 희생제물이 되어 주신 예수 그리스도의 사랑, 하나님 아버지의 감당 못할 사랑을 만납니다.

오오, 그 사랑은 만민을 차별 없이 사랑하시는 차별 없는 사랑이 아닙니까? 하나님 눈에는 모태범이나 이상화나 김연아나 술주정뱅이나 모두가 다같은 당신의 자녀, 당신의 사랑하는 아들, 딸이라는 것이 아닙

니까?

"주님, 제 안에 남아 있는 선택적 사랑의 마음을 주님께 올려 드리오니 제 마음을 주님 뜻에 합당한 마음으로 바꾸어 주시옵소서.

아버지 하나님,

차별없는 사랑의 마음을 가득 부어주사 저로 죄인들을 사랑하게 하옵소서.

죄인들을 위하여 기꺼이 희생제물이 되게 하옵소서.

그 희생을 통하여 당신의 뜻을 이루소서. 그리하여 바울 사도가 고백하였던 것처럼,

'만일 너희 믿음의 제물과 섬김 위에 내가 나를 전제로 드릴지라도 나는 기뻐하고 너희 무리와 함께 기뻐하리니'(빌2:17) 하는 고백이 저의 고백이 되게 하소서. 아멘."

이보다 더 좋을 순 없다

살면서 힘이 들 때 따뜻하게 전해져 오는 칭찬 한마디가 새로운 활력이 될 때가 종종 있습니다.

월초에 YWCA에서 행하는 가정폭력 가해자 교정 프로그램을 마쳤습니다. 총 12회기 1주 1회씩 모두 세 달간에 걸쳐 진행되는 집단상담 프로그램인데 마지막 시간에는 흔히 '나의 생애설계'라는 주제의 프로그램을 진행합니다. 그 방법 중의 하나가 수십 장의 사진들을 제시해 주고 그 사진 속에서 자신들이 걸어온 길과 지금의 모습, 그리고 나아갈

미래의 소망들을 찾아내는 프로그램입니다.

수십 장의 사진 중에서 가장 인기 있는 사진은 단연 '다정한 노부부' 사진입니다. 한복을 곱게 차려 입은 할아버지 할머니가 손을 다정하게 잡고 흘러가는 강물을 바라보고 있는 사진입니다. 폭력으로 얼룩진 가정, 깨어진 부부관계를 경험하고 있는 그 분들에게 이 한 장의 사진은 그야말로 미래의 삶에 대한 간절한 바람과 소망인 것 같습니다. '사랑 가운데 아름답게 늙어가는 부부의 삶'은 비단 이 분들 뿐만 아니라 늙어가는 모든 중년 부부들의 꿈이 아닐까 싶습니다.

얼마 전 택시 안에서 기막힌 칭찬을 들었습니다. 이보다 더 좋을 순 없겠다 싶은 칭찬이었습니다.

아내와 함께 볼 일이 있어서 월평동에서 택시를 타고 집으로 오던 길이었습니다. 택시 안에서 무슨 이야기를 아내와 나누었는지는 별로 기억이 나질 않습니다. 공동체 형제님들에 대한 이야기, 고3인 딸 이야기 등등을 주섬주섬 이야기 하며 돌아오던 길이었습니다. 내릴 때가 다되어 택시비를 지불하려고 할 때 기사님이 이런 말씀을 하셨습니다.

"오늘 참 감사했습니다. 너무 행복한 시간이었습니다. 두 분의 모습이 너무 감동적이었습니다."

이게 웬 생뚱맞은 말씀입니까? 그래서 제가 기사님에게 물었습니다. "그게 무슨 말씀이세요? 뭘 보고 그런 말씀을 하시는거지요?"

그러자 기사님이 말씀하셨습니다.

"두 분이 대화 나누는 모습이 너무 감동적이었습니다. 서로를 존중해 주고 서로 존댓말을 써가며 대화하는 모습이 너무 부러웠습니다. 저도 그렇게 해 보려고 해도 그게 잘 안됩니다. 일하다가 집에 들어가면 마누라한테 짜증을 낼 때가 더 많습니다."

그러시면서 택시를 하다보면 많은 사람들을 만나게 되는데 부부나 연인이 타면 택시 안에서 싸울 때가 더 많고 냉랭하게 앉아 있는 경우가 더 많다는 것입니다. 그 분의 표현대로라면 1년에 한두 번 정도 기분 좋은 손님을 만나게 된다는 것이었습니다. 서로 존댓말을 써가며 다정하게 이야기 하는 경우는 나이 지긋하신 노부부들 외에는 거의 발견하기가 힘들다는 것이었습니다.

그런 이야기를 듣는 저희 부부의 마음이 너무 환해지는 느낌이었습니다.

"그렇게 봐주셔서 너무 고맙습니다. 기사 아저씨의 말씀에 오히려 저희가 감동받았습니다. 감사합니다." 그런 인사를 드리며 내리려고 할 때였습니다.

"제가 여기서 두 분을 기다리면 안될까요? 다시 모시고 싶습니다. 괜찮으시다면 여기서 기다리겠습니다."

기사님이 더 강력한 감동의 펀치를 우리에게 날렸습니다.

일 처리를 위해 집에 들러 인감도장을 챙기고 동사무소에 들러 일을 보고 다시 월평동에 돌아가야 했는데 그 이야기를 우리 대화 가운데 들으신 기사님께서 우리가 볼일을 다 보고 올 때까지 우리를 기다려주시겠다는 것이었습니다. "이 감동을 더 느끼고 싶다"시면서 말이지요.

저희 부부가 살아오면서 이보다 더 좋은 칭찬은 없었을 듯싶습니다. 외인의 눈에 그래도 괜찮은 부부로 보였다니 얼마나 감사한 일인지 모르겠습니다.

"말씀만으로도 너무 고맙다"는 인사를 드리고 한사코 남아서 기다리시겠다는 기사님을 서둘러 보내드렸습니다. 그리고 하루 종일 유쾌함 속에서 지냈습니다.

참된 부부의 삶이 무엇인지 알지 못하고 방황하던 우리에게 오셔서 참된 부부의 삶이 무엇인지 가르쳐 주시고 변화시켜 주신 주님께 너무 너무 감사합니다. 외인으로부터 우리 부부의 삶에 대해 선한 증거를 받게 해 주신 주님께 감사합니다.

무소유, 평화의 공동체

얼마 전 법정 스님이 돌아가셨을 때 온 나라가 큰 스님을 잃은 슬픔에 잠긴 적이 있습니다. 그때 스님이 쓴 서적들이 장안의 지가를 올리더니 급기야 스님의 대표저서인 『무소유』가 품절되는 놀라운 일이 일어나기까지 했지요. 스님은 돌아가시면서 자신의 저서들도 더는 출판하지 말 것을 유언으로 남기기까지 해서 정말 철저한 '무소유' 삶의 본을 보여주시기도 했습니다. 노무현, 김대중 두 전직 대통령의 서거, 김수환 추기경의 영면에 이어 법정 스님의 입적 소식은 시대의 큰 별들을 잃은 슬픔을 느끼게 해주기에 충분했습니다. 법정 스님의 무소유는 제가 예수님을 알기 전 큰 영향을 준 책이기도 했습니다. 그리고 정말 그렇게 살고 싶었습니다. 예수님을 만나 기독교인이 된 이후에도 그러한 무소유적 삶에 대한 갈망은 더 커지기만 했습니다. 예수 그리스도 안에서, 초대 교회 안에서 저는 무소유 삶의 모본을 보았기 때문이었습니다. 그리스도를 따르고, 성령에 이끌려 사는 초대 교회 신앙 선배들의 삶의 모습은 자기 안의 욕심과 탐심을 다 내려놓고 오직 주님만을 소유하며 살아가는 무소유 삶의 실천적 모델이었지요.

초대 교인들의 삶은 무소유의 삶이었다고 저는 믿습니다. 곧 세상 것을 소유하지 않고 오직 그리스도만을 소유하며 사는 삶을 말하는 것이지요. 물론 무소유의 삶이 물질을 필요로 하지 않는 삶을 말하는 것은 아닙니다. 가난하게 살아야 한다는 것도 아닙니다. 다만 개인적으로 소유하지 않는 삶을 말하는 것일 뿐입니다. 인간 안에 영원히 사라지지 않는 죄성이 있는 한 이 소유욕은 없어지지 않습니다. 그러나 그 죄성에 굴복하지 않고 무소유의 삶을 살기로 결단하고 선택할 수는 있습니다. 여전히 우리 안에 소유하려는 욕심과 탐심은 남아 있을지라도 무소유적 삶을 선택함으로써 그것들의 영향을 최소화 하는 삶을 살아낼 수는 있는 것이지요. 나는 그런 마음, 그런 사상을 가진 기독교인들이 모여 사는 무소유의 공동체를 세우는 꿈을 갖고 있습니다. 세상 것들에 대한 모든 소유를 다 내려놓고 오직 그리스도만을 소유하기로 결단하며, 무욕의 삶, 무소유의 삶을 살아가기로 결단한 사람들의 공동체를 말입니다.

천안함 사건 이후 한반도에는 전쟁불사의 긴장국면이 조성되었습니다. 북한 소행임을 단정하고 이들에 대한 단호한 보복과 응징을 가해야 한다는 목소리가 무척이나 크게 들리기도 했습니다. 대통령도 전쟁을 원치는 않지만 두려워 하지 않겠다면서 전쟁불사의 의지를 내외적으로 천명하기도 했지요. 그 서슬퍼런 분위기 앞에서 평화를 외친다는 것은 돌 맞기를 각오했을 때만 가능한 그런 형편이었지요. 그 천안함 정국의 와중에서 저는 2주에 걸쳐 "원수를 사랑하라"는 제목의 설교를 했습니다. 이번 주에도 계속 그 주제로 설교하려 합니다. 그것은 평화에 대한 갈망 때문입니다. 그리고 진정한 평화는 원수를 사랑하는 그 사랑으로 부터 비롯되기 때문입니다. 우리는 악을 악으로 갚으라는 말씀을 성경에서 발견할 수 없습니다. 성경은 악을 선으로 갚으라고 가르칩니다. 그 것이 하나님의 말씀인 한 우리는 어떤 대가를 치르고라도 그 말씀을 실천해야 합니다. 설혹 그것이 우리의 목숨을 요구한다 하더라도 말입니다. 나이가 들면서 저는 절대 평화에 대한 생각을 더욱 많이 하게 됩니다. 그래도 정의의 전쟁은 있는 것이 아닐까 생각도 해 보지만 성경 속에는 무력을 통한 정의의 실현보다는 원수를 사랑하고, 왼 뺨을 맞으면 오른 뺨을 돌려대며, 악을 선으로 갚으라는 보다 명료한 메시지로 가득 차 있습니다. 그리고 심판을 하나님께 맡기라고 말합니다. 예수님은 원수를 사랑하셨습니다. 자기를 죽인 자들을 위해 기도하셨습니다. 그리고 십자가 위에서 자기 몸을 거룩한 희생의 제물로 바치셨습니다. 오늘 우리에게 필요한 것은 바로 그 십자가의 절대 사랑입니다. 그리고 그 사랑으로 절대 평화를 이루어 가는 것입니다. 절대 평화란 어떤 형태의 전쟁도 반대하는 것입니다. 어떤 형태의 살상도 반대하는 것입니다. 그리고 필요하다면 자기 몸을 거룩한 희생의 제물로 바치는 것입니다. 평화는 거저 얻어지는 것이 아니라, 전쟁을 통해 얻어지는 것이 아니라 원수를 사랑하는 절대 사랑과 절대 희생의 기초 위에서 세워지는 것입니다. 나는 이런 마음으로 살기를 원하는 사람들과 공동체를 세워가고 싶습니다. 모든 전쟁과 폭력에 반대하는, 설혹 그것을 주장하다가 순교하는 한이 있더라도 그런 그리스도의 평화의 정신으로 충만한 사람들과 절대 평화의 공동체를 세우고 싶습니다. 사람의 뜻과 의지로는 안 되는, 오직 성령님의 도우심과 인도하심과 함께 하심만으로 가능한 그런 공동체를 말입니다.

저는 약 한 달간의 여정으로 유럽의 공동체들을 순방할 계획입니다. 영국의 브루더호프 공동체, 스위스의 떼제 공동체, 독일의 모라비안 공동체, 바시스 공동체, 베첼 공동체, 네덜란드의 메노나이트 공동체 등을 순방하고 돌아옵니다. 이들 공동체 순방을 통해 무소유의 공동체, 절대 평화의 공동체를 목도하게 될 것입니다. 그리고 돌아와 그러한 또 하나의 공동체-주님을 따르고, 성령님의 인도하심을 받으며, 하나님의 뜻을 이 땅 위에 이루어 가는 절대 평화, 무소유의 하나님의 공동체-를 이 땅에 세워 가게 될 것입니다.

사랑과 평화의 주님, 함께 하소서. 우리를 도우소서.

수도치유공동체를 향해 다시 길을 떠납니다

2002년 4월 1일 창립된 라파공동체는 대전 동구 삼성동의 35평 정도 되는 한옥에서 시작되었습니다. 가진 것이 아무 것도 없을 때 막내 여동생에게 500만 원을 꾸어 2004년 5월 1일까지 월 35만 원의 임대료를 내며 꾸려왔습니다. 그 때 공동체 정원은 4명이었습니다.

2004년 5월 1일 지금의 대사동 부지로 이전하였습니다. 임대 3,000만 원의 전세로 입주하였습니다. 땅 면적도 50평에서 500평으로 늘었고, 건평도 35평에서 150평으로 늘어났습니다. 공동체 정원수도 4명에서 10명으로 늘었습니다. 말 그대로 확장 이전이었습니다.

이제 때가 되어 라파공동체는 제3의 땅으로 이전하려 합니다. 그 새로운 땅은 라파공동체의 항구적인 터전이 되어야 합니다. 그곳에서 '수도치유공동체'라는 새로운 형태의 공동체 사역이 시작되고 또 뿌리를 내리게 될 것입니다.

지금까지의 라파공동체는 '치유공동체'였습니다.

그러나 앞으로의 라파공동체는 수도공동체이며 치유공동체가 될 것입니다. 알코올중독을 포함해 모든 중독을 치유하는 중독치유공동체로 발전해갈 것입니다. 아울러 이 사명을 온전히 이루기 위해 공동체로 살아가기를 원하는 믿음의 사람들과 더불어 수도공동체를 세워나가려 합니다. 끊임없는 경쟁과 속도에 내몰리는 이 세상에 대해 쉼을 누리고 평화를 제공하는 그리스도 중심의 쉼과 평화의 대안사회를 세우려 합니다. 3,000평 이상의 땅 위에 50명 이상이 함께 기거하며 10여 명의 방문객들을 맞이할 수 있는 규모가 되기를 소망합니다.

우연히도 유럽 여행은 저에게 새로운 출발의 서막이 되고는 했습니다. 1998년 북아프리카 튀니지 단기선교를 위해 스페인에 베이스 캠프가 차려졌었는데 그 여행을 끝내고 저는 주님의 부르심에 응답해 장애인 사역, 노숙자 사역, 알코올중독자 사역에 뛰어들었습니다.

2000년 영국 켄트 주에 있는 알코올중독 및 마약치유공동체인 켄워드 트러스트를 방문한 이후 저는 한국에 돌아와 알코올중독 치유공동체인 라파공동체를 창립하였습니다.

2010년 6~7월, 한 달여에 걸친 유럽5개국 기독교 공동체 순방을 마치고 돌아오면서 제 마음 속에는 새로운 수도치유공동체로의 출발을 결단하는 확신의 마음이 새겨지고 있었습니다.

2000년 5월 알코올중독 치유사역을 위해 제가 대전에 내려올 때 아브람을 부르시는 하나님의 음성이 제게도 들려 왔습니다.

성모야 너는 너의 본토 친척 아비집을 떠나 내가 네게 지시하는 대전 땅으로 가라. 그곳에서 너는 알코올중독자들의 아비가 되어라. 내가 네게 복을 주겠다. 너는 복의 근원이 될 것이다 창12:1~2

그 부르심에 순종해 저는 대전으로 내려왔고 오늘 여기에 있습니다. 3년 전부터 주님은 제게 또 다른 떠남을 말씀하셨습니다.

아브람이 그의 아내 사래와 조카 롯과 하란에서 모은 모든 소유와 얻은 사람들을 이끌고 가나안 땅으로 가려고 떠나서 마침내 가나안 땅으로 들어갔더라 창12:5

지금 제가 있는 이곳 대전이 아브람의 하란인 것 같습니다.
아브람이 하란에서 얻은 모든 소유와 사람들을 이끌고 마침내! 가나안 땅으로 들어갔던 것처럼 저도 이곳 대전에서 얻은 모든 소유와 사람들과 함께 항구적인 라파의 새로운 터전으로 옮겨야 할 때가 이른 것입니다.

"라파공동체의 10개의 방이 치유받고자 하는 형제님들로 꽉찰 때, 그 때가 떠날 때임을 알고 준비하겠습니다."

그것이 최근 1~2년 사이의 저의 기도였습니다. 라파의 방은 치유받으려는 형제님들로 꽉 찼고 많은 이들이 대기하면서 입소를 간절히 원하는 때가 되었습니다. 이제 새로운 출발의 때가 된 것입니다.

새로운 땅으로 이전하기 위해서는 하나님의 기적의 손길이 필요합니다. 그 기적을 믿는 믿음으로 나아가려 합니다. 라파를 사랑하는 모든 형제, 자매님들의 기도가 필요할 때입니다. 함께 기도하는 가운데 우리는 하나님께서 행하시는 놀라운 기적의 드라마를 목도하게 될 것입니다.

"하나님, 우리가 오직 당신만을 앙망하오니
당신의 크신 팔을 펴사 우리를 당신의 땅으로 인도하소서."

땅이 아름답다

3년 전부터 충남북 일대의 땅을 알아보기 시작하다가 유럽 기독교 공동체 순방을 마치고 온 7월부터 본격적으로 라파공동체 이전 부지를 알아보기 위해 동분서주 하고 있습니다. 지금까지 35군데의 땅을 돌아보았습니다. 그 중에 두세 군데의 땅이 이전 대상지로 떠오르고 있습니다. 그러나 10월 중에 지금까지 돌아본 숫자만큼의 땅을 더 돌아보고 라파공동체 이전 부지를 확정하려고 합니다.

처음에는 이런 느낌이 없었습니다. 연인을 만나러 나가는 느낌말입니다. 땅을 보러 다닐 때의 제 기분이 마치 연인을 만나러 나가는 기분입니다. 재미있습니다. 설렘이 있습니다. 마치 연인을 만나러 나가는 느낌처럼.

땅마다 자태가 다르고 색깔이 다릅니다. 화려하고 고혹적인 땅이 있고 장중하고 정숙한 땅이 있습니다. 생기발랄한 땅이 있는가 하면 깊은 고요를 머금고 있는 땅도 있습니다. 버려진 듯 외로운 땅도 있고 자기를 보아달라고 손짓하는 땅도 있습니다.

자기를 꼭꼭 걸어잠그고 있는 땅도 있지만 자기를 열고 마음껏 자기를 만져주기를 바라는 땅도 있습니다. 그러나 그 모든 땅은 아름답습니다. 저마다의 존재 이유가 있기 때문입니다.

존재하는 모든 것이 아름다운 이유가 여기에 있지 않을까 싶습니다. 왜 아니겠습니까?

존재하는 모든 것의 근원이 천지를 만드신 하나님에게 있을진대 말입니다. 하나님의 손으로 만들어진 모든 것 중에 아름답지 않은 것이 어디에 있겠습니까?

땅이 이렇게 아름다울진대 하물며 하나님께서 창조의 마지막 날에 당신의 형상을 따라 만든 사람의 아름다움이야 어떠하겠습니까?

그러나 땅을 보러 다니면서 저는 땅의 아름다움과 대비되는 인간의 추악함을 더 많이 생각하게 됩니다.

저 자연의 순수 앞에 비추인 인간들의 모습은 탐욕스럽고 추악한 느낌일 뿐입니다.

땅과 사람이 하나님 안에서 하나가 되는 곳!

거기가 아마도 가나안일 것입니다.

거기에서 하나님의 순수와 땅의 순수, 그리고 사람의 순수가 공동체적 삶을 통해 오롯이 증거되지 않을까 싶습니다.

하나님께서 허락하시는 그 땅 위에서 하나님을 닮고 자연을 닮기를 원하는 믿음의 사람들이 함께 모여 검소하고 소박하며 단순한 삶을 살고 싶습니다.

'그리스도의 단순함 삶 공동체'를 꾸려가고 싶습니다.

세속적인 모든 것을 내려놓고 사는 거룩한 성도들의 단순한 삶 자체가 중독 치료의 가장 강력한 치료기전이 될 것입니다.

가만히 눈을 감으면 돌아보았던 아름다운 땅들이 눈에 삼삼히 밟혀옵니다.

꿈을 주시고 비전을 주시며

세속을 떠나 내가 '네게 지시할 땅으로 가라'명령하시며

새로운 삶을 허락하시는 주님을 찬양합니다.

땅의 주인 되시는 주님을 찬양합니다.

모든 것의 주인 되시는 주님께서 10월 중에 그 약속의 땅을 분명히 보여주실 것을 또한 고대합니다.

너희 모든 땅들아 여호와 하나님을 찬양할지어다!

마침내 땅을 주신 하나님!

하나님께서 마침내 우리에게 땅을 주셨습니다.

땅은 우리가 오랫동안 기도해온 간절한 갈망이었습니다.

몇 년 전부터 하나님은 말씀을 통해 라파공동체의 이전을 예정해 주셨습니다.

> 아브람이 그의 아내 사래와 조카 롯과 하란에서 모은 모든 소유와 얻은 사람들을 이끌고 가나안 땅으로 들어가려고 떠나서 마침내 가나안 땅에 들어갔더라 창12:5

이 말씀을 통해 저는 라파공동체가 지금의 임대 부지를 떠나 하나님께서 지정하신 항구적인 땅, 가나안으로의 이동이 있을 것을 예견하며 준비해왔습니다.

같은 시기 하나님께서는 제 아내에게도 땅에 대한 소망의 말씀을 주셨습니다. 제 책상 뒷편 메모판에는 아내가 제게 건네준 성경 말씀이 늘 걸려 있습니다.

> 내 하나님 여호와께서 너를 아름다운 땅에 이르게 하시나니
> 그곳은 골짜기든지 산지든지 시내와 분천과 샘이 흐르고
> 밀과 보리의 소산지요
> 포도와 무화과와 석류와 감람나무와 꿀의 소산지라
> 네가 먹을 것에 모자람이 없고
> 네게 아무 부족함이 없는 땅이며
> 그 땅의 돌은 철이요 산에서는 동을 캘 것이라

네가 먹어서 배부르고

네 하나님 여호와께서 옥토를 네게 주셨음으로 말미암아

그를 찬송하리라 신8:7~10

　　라파공동체의 이전 부지를 보러 다니기 시작한 것은 3년 전부터 였습니다. 그러다가 올해 유럽기독교공동체 순방을 다녀온 이후 저는 본격적으로 공동체 이전 부지를 알아보기 위해 동분서주 했습니다. 꼬박 60번 째 땅을 보러 갔을 때 저는 주저없이 그 땅을 구두로 계약하고 말았습니다. 땅을 보러 다니면서 늘 기도했습니다. 하나님 여기입니까? 그 땅을 보는 순간 제 마음에 여기다!라는 확신이 들었습니다. 그 땅은 하나님께서 우리에게 주시기로 내정하신 그 땅이었습니다. 그 땅의 주소는 충청북도 옥천군 안남면 지수리 64, 65번지 입니다. 그 땅에 대한 모든 계약이 이행되고 어제부로 그 땅은 라파공동체의 소유가 되었습니다. 하나님께서 우리에게 항구적인 삶의 터전을 허락하신 것입니다!

　　하나님께서 새 땅에 대해 아내에게 주신 신명기의 비전의 말씀 중 제 마음 속에 '설마 그런 땅을 얻을 수가 있겠어?'라고 의구심을 가진 부분이 있었습니다.

　　그 땅의 돌은 철이요 산에서는 동을 캘 것이라 신8:9

　　땅을 보러 다니면서 몇 번은 폐광 부지를 본 적도 있었지만 우리가 이전해 갈 새 땅에 이 말씀이 적용되리라고는 생각해 보지도 못했습니다. 더구나 안남면 지수리는 금강과 대청호에 인접한 아름다운 풍광과 논과 밭으로 이루어진 포근한 안골마을의 모습을 보이고 있었기에 '철과 동을 캐는' 모습을 상상할 수 없었습니다.

그러나 어제 새 땅을 돌아보고 오던 중 그 마을의 유래가 적혀 있는 비를 보게 되었는 데 지수(池水)리의 유래가 된 마을 저수지가 본래는 철을 주조하던 주철소였다는 것임을 알게 되었습니다.

할렐루야!

이로써 아내에게 주셨다는 새 땅에 대한 하나님의 비전의 말씀이 한 치도 어김없음이 드러났습니다.

그 땅은 말씀 그대로 '아름다운 땅'이요, '시내와 분천과 샘이 흐르는 땅'으로서 그 땅의 관정을 통해 마을에 식수가 공급되고 있으며, '밀과 보리의 소산지'일 뿐만 아니라 '산에서는 철과 동을 캐는' 실로, 하나님께서 우리에게 주신 '옥토'인 것입니다.

함께 땅을 보러 다닐 때 가끔 아내가 "하나님께서 우리에게 옥토를 주신다 하셨는데 그 옥토가 어딜까?"하며 궁금해 하고는 했는데, 지금의 이 땅을 구입하면서 "아무래도 옥천(沃川)이 있는 곳이 옥토(沃土)가 아니겠어"하며 웃었던 기억이 납니다.

말씀 그대로, 아름다운 옥토를 주신 하나님께 감사합니다.

그 땅을 구입할 수 있도록 기도로 물질로 저희 공동체를 후원해 주신 모든 후원자 여러분들에게도 감사를 드립니다.

얼굴도 모르는 후원자님들께도 특히 감사합니다.

여러분들의 후원금이 종잣돈이 되어 그 땅을 구입할 수 있었습니다. 함께 기뻐했으면 좋겠습니다.

새 하늘 새 땅에 대한 비전을 여러분들과 함께 나누며, 그 기쁨으로 서로 충만해지고 싶습니다.

이제 그 땅에 예수님이 중심이 되시는 '예수 공동체'가 세워지고, 예수님을 주님으로 믿고 따르는 이들의 세속에 물들지 않은 '단순하고 소박한 삶'이 뿌리를 내리며, 여호와 라파, 치료의 하나님께서 친히 돌보시고 고쳐주시는 '치유공동체'가 하나님의 영광을 드러내는 땅이 되기를 기도하게 됩니다.

그 땅에 하나님의 나라가 세워지고, 하나님의 가족(Home), 하나님의 집(House)이 세워지기를 간절히 소원합니다.

이 기쁨과 비전을 라파를 사랑하는 모든 분들과 나누고 싶습니다.

할렐루야, 아멘!

후기

평신도로서 알코올중독자 치유 사역에 뛰어든 지도 어언 11년이 지나고 있습니다. 그 과정에서 하나님의 부르심에 순종하여 신학을 하게 되었고 지금은 목회자가 되었습니다. 평신도이건 목회자이건 관계없이 제 삶의 목표는 고통 받는 알코올중독자들을 치유하여 회복의 길로 안내하는 일입니다. 제가 죽어 땅에 묻힐 때 제 묘비명에 "예수 그리스도의 신실한 종, 알코올중독자들의 벗으로 살다 가다!"라고 씌어 있기를 소망합니다.

지난 11년간 라파공동체를 통해 회복의 길에 들어선 사람들은 약 스물다섯 명 정도 됩니다. 그들과 함께 울고 웃으며 치유의 길을 걸어오는 동안 저는 저의 살과 피를 다 그들에게 내주었습니다. 그럼에도 불구하고 회복자들의 숫자는 겨우(?) 스물다섯 명에 불과합니다. 1년에 두 명정도가 회복되었다는 것입니다. 너무 초라한 성적표를 받아든 것만 같은 열패감과 무력감이 제 삶을 압도할 때가 있습니다.

그러나 '중독'이 지니고 있는 불가항력적 치명성과 회복에로의 불가역성을 생각해보면 그 스물다섯이라는 숫자는 기적의 숫자이며 희망의 숫자이기도 합니다. 불가능한 상황에서도 기적은 일어나기 마련이며, 아무리 캄캄한 밤이라도 밝아오는 새벽에 대한 희망은 살아 있는 법입니다.

지난 11년의 중독치유사역자로서의 저의 삶은 '기적을 경험한 삶이요, 희망을 발견한 삶'이었다고 요약할 수 있습니다. 그래서 이 책을 통해 각종 중독으로 고통당하고 있는 당신께! 그리고 당신의 가족들에게 "중독은 치유될 수 있습니다. 포기하지 마세요. 희망의 끈을 놓지 마세요. 기적은 있습니다. 구하세요, 찾으세요, 두드리세요!"라고 간절히 외치고 싶은 것입니다.

어느 날 주님께서 제게 오셔서 "네 사역의 꿈이 무엇이냐?" 물으시는 것만 같았습니다. 아마도 주님께서 병자들을 고치시면서 "내가 네게 무엇을 해주길 원하느냐?"라고 물으시는 대목을 묵상할 때였을 것입니다. 그 때 제가 말씀드렸습니다. "이백오십 명입니다! 제 살아 생전 이백오십 명의 알코올중독자들을 치유하여 회복의 길로 안내하고 싶습니다!" 그 때로부터 제 사역의 목표는 죽기까지 이백오십 명의 중독자들을 회복시키는 것이 되었습니다. 지난 11년 동안 겨우 스물다섯 명을 치유하였으니 어느 세월에 그 목표를 달성할 수 있을까요? 그 목표를 달성하기 위해 두 방면의 전략을 세웠습니다. 하나는 공동체의 규모를 확대하여 연간 회복자의 수를 늘리는 것이고, 다른 하나는 중독치유 일꾼을 길러내어 그들로 하여금 중독자들을 회복의 길로 이끌게 하는 것입니다.

2011년 라파공동체는 충북 옥천으로의 이전을 준비하고 있습니다. 라파공동체의 제3기 시대가 열립니다. 이 3기 시대 사역의 중심은 공동체 규모의 확장과 〈중독치유학교〉를 통한 치유전문역량의 강화 및 배출에 있습니다. 이 새로운 사역과 비전 위에 주님께서 능력으로 함께 하여주실 것을 간절히 기도합니다.

중독은 인간의 상처입은 심령, 연약한 심령 속에 슬그머니 들어온 독이자 악입니다. 시간이 지나면 그 독과 악이 결국 그 사람을 지배하여 삶의 모든 것을 파괴하여 황폐케 하고, 생의 불꽃을 사그라들게 합니다. 중독은 바로 우리 시대의 대표적인 악이요 독이며 어둠입니다. 중독이 있는 곳에서 인간성은 파괴되고 가족은 해체됩니다. 그러므로 중독의 치유란 악과 독과 어둠에 맞서 싸우는 거룩한 전투입니다. 알코올중독, 마약중독, 도박중독, 성중독, 인터넷중독, 쇼핑중독, 일중독 등등, 각양의 중독자들이 대량으로 양산되는 중독의 쓰나미 시대에 우린 살고 있습니다. 건강한 가정, 건강한 교회, 건강한 사회를 만들기 위해 우리 모두는 중독과의 전투라는 거룩한 전장으로 부름 받고 있습니다. 우리가 이 부름을 등한시하고 외면할 때 중독은 우리의 가정과 사회를 덮쳐 황폐화시키고 초토화시킬 것입니다.

일찍이 제랄드 메이가 간파했듯이 "은혜는 중독을 다루기 위한 유일한 희망이며, 중독의 파괴력을 진정으로 극복할 수 있는 유일한 힘입니다." 그리고 "은혜는 꺾을 수 없는 자유의 옹호자이며 완전한 사랑의 절대적 표현"입니다. 이 악한 중독과 맞서 싸울 수 있는 우리의 최대의 무기는 오직 '은혜'뿐임을 고백합니다. 십자가에서 흘러나오는 그 무한한 사랑, 죄인들을 위해 자기 몸과 살과 피를 다 내어준 그리스도의 고결한 사랑의 은혜만이 중독에 맞서 싸울 수 있는 우리의 가장 유일한 무기입니다. 중독을 몰아내기 위한 시대의 이 절박한 부름에 우리 그리스도인이 응답해야 할 분명한 이유가 여기에 있습니다.

참 사랑을 알게 하시고 소명의 길 걷게 하시는 사랑의 예수님께 감사합니다.

기도로 물질로 공동체를 지금까지 함께 세워 오신 후원자 여러분들께 감사합니다.

십자가의 길 함께 걸어온 아내(조현경)와 딸(지희)에게, 가족들에게 감사합니다.

중독의 깊은 늪에서 벗어나 생명 있는 새 삶을 살아냄으로 희망의 푯대가 되고 있는 회복자 여러분들께 감사합니다.

2011년 2월 라파 회복의 동산에서
윤성모 목사

「하늘과 땅, 사람과 자연이 하나된 하나님의 나라」

여기는 생태자연농원 라파마을입니다

유정란·토종닭·유기농복숭아